Phil Bosmans

in Liefde weer Mens worden

lannoo

Opdat de wereld
bewoonbaar worde
voor de mens.

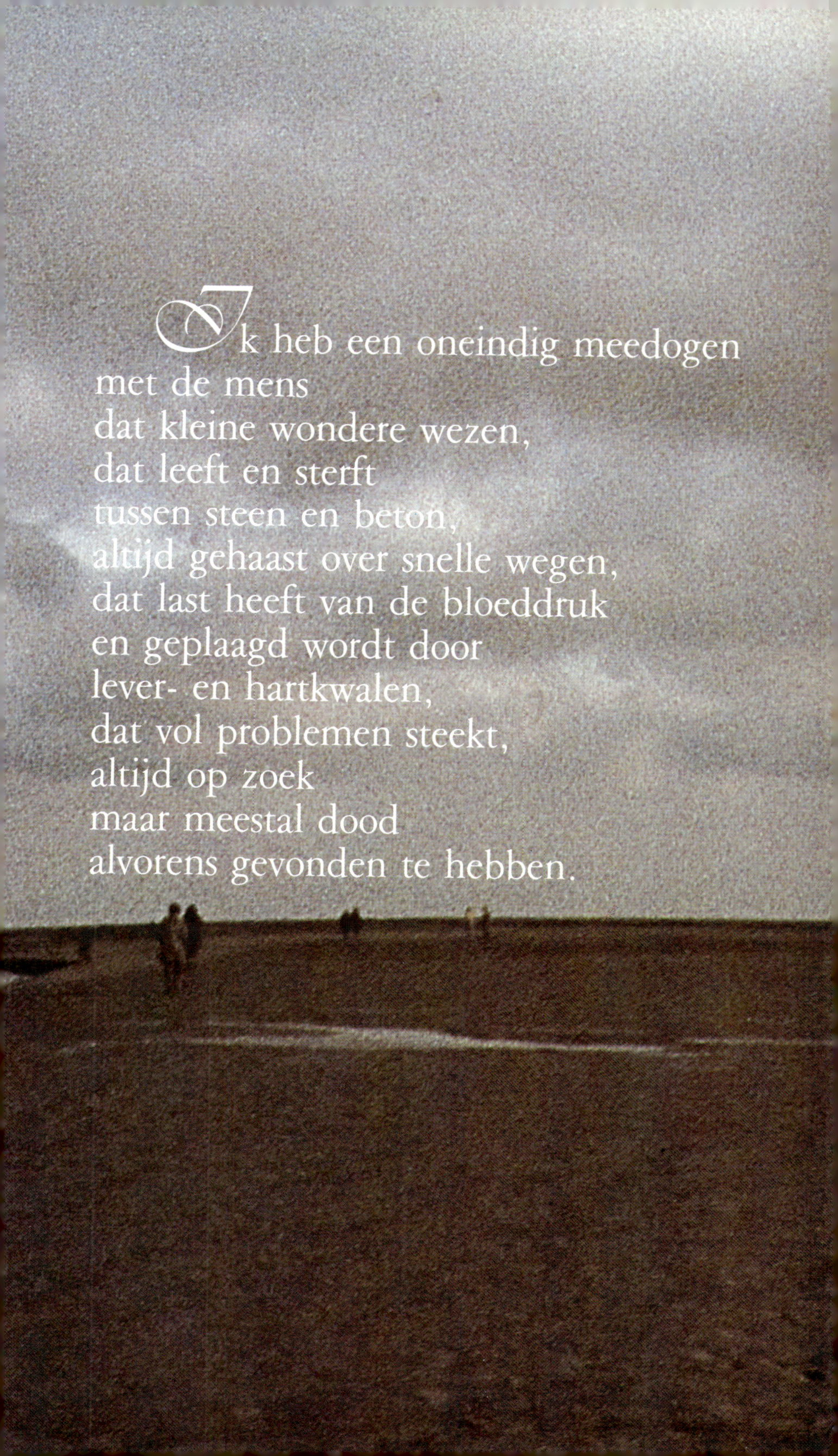

Ik heb een oneindig meedogen
met de mens
dat kleine wondere wezen,
dat leeft en sterft
tussen steen en beton,
altijd gehaast over snelle wegen,
dat last heeft van de bloeddruk
en geplaagd wordt door
lever- en hartkwalen,
dat vol problemen steekt,
altijd op zoek
maar meestal dood
alvorens gevonden te hebben.

Er zijn te weinig gelukkige mensen.

Ik heb jaren geluisterd
naar ongelukkige mensen,
naar ontspoorde,
gebroken en verschopte
mensen, naar zieken,
bejaarden en eenzamen.
Ik heb geluisterd
naar mensen te midden van
de welvaart, die hadden
wat ze wensten en konden
kopen wat ze droomden en
diep ongelukkig daar zaten
met de woorden:
''Het zegt mij niets meer.
Ik ben alles beu.''

Het boek dat ik las,
was de levende mens.
Hij was mijn universiteit.

Ik ben maar een kleine kabouter
met een kleine graankorrel in de hand
om in je hart te leggen,
zoals de kleinste boer
gelovend in elke graankorrel,
die ergens in goede aarde valt.
Er komt regen en er komt zon.
Er komt onweer en er komt storm.
En de graankorrel ziet nooit de aar.
Maar ik geloof in de Onzichtbare
die van elke graankorrel
duizend graankorrels maakt in bloeiende aren
tot velden van vreugde over het land!

Gelukkige mensen
is de droom
gelukkige

Want als je zelf gelukkig bent
is het enige wat je ontbreekt
het geluk van de anderen.

maken van mensen.

Dit boek mag je niet
in een adem uitlezen!

Dit boek
is geen studieboek.
Zoek geen
wetenschappelijke analyses
van toestanden,
geen ingewikkelde
beschouwingen, geen
logische volgorde.
Ik ben geen theoreticus.

Ik wil je niets opdringen!
Je hoeft met niets akkoord
te gaan!
Het is je volste recht
over alles heel anders
te denken!
Dit mag de vriendschap
niet schaden!
Ik schrijf gewoon
wat gedachten neer
over mensen en wereld
zoals ik ze ervaar,
misschien te vierkant
en hier en daar
wat zwart-wit.
Men moet soms hard
schudden aan een boom
om één appel
te doen vallen!

Ik voel me
als een dwaze profeet
met een utopie op zak,
een dwaze profeet
in een wereld
als een super-bazar.
De mensen kijken
de andere kant uit,
geboeid door
duizend dooie dingen,
geprezen als de bloemen
van het paradijs.

De mens geschapen naar het beeld van een God.

Mens

je bent niet gemaakt voor de industrie
voor de produktie, de bankrekening
en de superbazar.
Je bent gemaakt om 'mens' te zijn!
Je bent geschapen voor het licht, voor de vreugde,
om te lachen en te zingen, om te leven in liefde
en voor het geluk van je medemens!

Mens

je bent geschapen
naar het beeld
van een God
die liefde is
met handen om te geven
een hart om lief te hebben
en twee armen juist lang genoeg
om een ander te omhelzen!

Ik ben bang van woorden

We zijn zo gewend aan woorden.
Een lawine van woorden in pers, radio en teevee,
in boeken en tijdschriften, op talloze en eindeloze
vergaderingen, op congressen, meetings en discussie-
avonden, in parlementen en praathuizen.
Woorden! Woorden! Woorden!
We hebben niet alleen water, lucht en bodem bezoedeld,
maar ook het woord. Het meest intieme contact van
mensen met mensen, het geestelijk contact.
Onze innerlijke leegheid heeft ook het woord
leeg gemaakt.
Leugen, hebzucht en haat hebben zich als schimmels
vastgezet op het woord.
Verwarring en duisternis hebben het woord verduisterd
en mensen kunnen elkaar niet meer verstaan.

**De devaluatie van het woord
is de devaluatie van het menselijk contact.**

We moeten het woord herijken!
Het woord is iets fantastisch!
Het is ons gegeven om elkaar te ontmoeten
en gemeenschap te scheppen.
Het is ons gegeven om geloofwaardig te zijn
en het is maar geloofwaardig in de mond van hem,
die de daad bij het woord voegt.

Het woord moet een gebeurtenis zijn!

Er moet iets gebeuren!
Het woord is meer dan wat je zegt en wat je schrijft!
Het woord is wat je bent!

En het woord
was bij God
en het woord
was God
en het woord
is vlees
geworden
en heeft
onder ons
gewoond!

Jezus is het woord!

Jezus is het woord
niet alleen door wat hij zegt
of wat hij doet
maar vooral
door wat hij is!

Jezus is het woord
van God,
het vlees en bloed
geworden woord,
het antwoord van God
op onze diepste
levensvragen!

Jezus is het woord voor
gelovigen en ongelovigen,
de weg, de waarheid en
het leven,
de mensgeworden liefde
van God!

Luister naar Hem
en vergeef me elk woord,
want alles is reeds lang
gezegd!

De zon gaat onder in het westen.

Ontmensel

De zon gaat onder
in een doolhof
van steen en beton.
Het westen
is in de koude greep
van onzichtbare machten.
Alles wordt dor en dood
in dode structuren,
geteisterd door
de schrale winden
van menselijke waanzin.
De computer woekert
over de wereld.
Mensen zijn
over alle horizonten
zonder gezicht
en zonder hart,
een grijze massa
zonder licht
en zonder liefde.

Het westen
heeft niet
willen geloven
in liefde
als bron
van licht
en warmte
voor mens
en
maat-
schappij!

ijking
van mens en maatschappij.

Het westen is gaan geloven
in de almacht van
wetenschap en techniek.

Mensenvoeten op de maan. Vliegende laboratoria in de ruimte. Foto- en teeveecamera's naar verre planeten. Harten, nieren en andere organen, die men overplant. Bloedbanken, huidbanken en proefbuisbaby's. Computers, die praten. Robots, die het huiswerk doen. De micro-processors. De wonderen van de elektronika. Het post-industrieel tijdperk. Het paradijs.

De kernwapens in verborgen bunkers. De neutronenbom. Het monsterachtig arsenaal van de dood, waarmee een gek alle leven op aarde duizendmaal kan vernietigen. De chemische vergiftiging. De verpesting van zeeën en rivieren. De uitputting van de grondstoffen. De oorverdovende decibels. De totale vervuiling van het menselijk milieu. De hel.

Is het je nooit
opgevallen dat in de natuur
alles zijn weg zoekt naar
het licht?
Het kleinste zaadje
in de donkerte van de aarde
groeit naar het licht,
Elke boom
tot in het diepste woud
steekt zijn takken uit
naar het licht.
Elke bloem reikt elke dag
haar kelk naar de zon.

Alleen de mens
heeft zich afgekeerd
van het licht.
Hij heeft het licht,
dat in ieder mens
vanaf zijn geboorte
is aangestoken, gedoofd.
De mens is kromgegroeid
naar de materie toe,
vergrijsd met de grijze
materie,
in een kleurloos en zinloos
bestaan.
Aan de basis
van zijn levenswijze
ligt een vervuld zijn
van de materie.
De westerse mens
is vermaterialiseerd
tot in zijn denken toe,
in een ziekelijke
overwaardering
van geld en bezit,
van macht en rijkdom.

Failliet
van een beschaving.

Het diepe trauma
van het westen
is
de verdringing van de geest,
de ontsporing in het denken,
in het voelen en het spreken,
de corruptie in de basis
van elk menselijk handelen.

°

De verdringing van de geest
tast de mens aan
in de wortel van zijn bestaan.

Ze richt de grootste verwoestingen aan
en is oorzaak
van de algemene malaise,
van de verharding van de
maatschappelijke verhoudingen
en voor zovele mensen
oorzaak van moedeloosheid,
wanhoop en zelfmoord!

De grote crisis!

Crisis!
De schande van het westen!
Vleesbergen, boterbergen, melkoverschotten.
Winkels en magazijnen puilen uit.
De huizen staan overvol.
De crisis van de overvloed.
De buikpijn tengevolge van de indigestie.

Welk woord moet men uitvinden
voor de tragische noodsituatie
van miljoenen medemensen
die zouden juichen om het voedsel
in onze vuilnisbakken?

crisis

De crisis van het westen
is een beschavingscrisis.

Economische crisis, energiecrisis, monetaire crisis, corruptie, groeiende misdadigheid, crisis in huwelijk en gezin en in alle vormen van samenleven zijn oppervlakteverschijnselen. Diep daaronder zit de echte crisis:

de geestelijke crisis.

Het westen is bijzonder enthousiast over de materie

We hebben mooie verhalen over onze vooruitgang!

In het jaar 2000
krijgen de mannen
een robot aangeboden
om hen goeiemorgen
te zeggen
en een kus te geven
als hun vrouw het niet
meer doet.

Omdat mensen blijven
dromen van het paradijs
wordt hen langs straten en
wegen, in bioscopen en in
alle brievenbussen,
het paradijs te koop
aangeboden in verpakkingen
van klatergoud.

Men spreekt juichend
over de kwaliteit
van het leven
en men heeft het over
'sprite' en 'coca-cola',
over de sigaret, de auto,
het beste bier,
over de laatste nieuwe
stereo, de kleurenteevee,
die je regelt met knopjes
vanuit je zetel, de kook-
automaat, de wasautomaat,
de self-service.

De kwaliteit van het leven
en men heeft 't altijd over
de kwaliteit van de
produkten.
Het echte wordt steeds
meer vervangen door het
kunstmatige.
Een dooie boom, om in je
living te zetten, een zijden
roos, een nylonroos.

Alles komt op je af in
plastiek. De borden, de
tassen, de glazen, de
flessen. Eten en drinken in
plastiek. Plastiek in
plastiek.
Duizend dingen in duizend
soorten plastiek.

De droom
van de mensen
begon als de droom
van een kind,
een droom
vol spel en fantasie,
een gelukkige droom.

De droom is bedorven.
Men heeft de mensen
wijsgemaakt,
dat dromen
leugens zijn
en dat op alle geluk
een prijsetiket
moet staan.

De consumptiemaatschappij uit het geloof van de publiciteit alles

Met geld kun je
een mooi huis kopen,
maar geen warme
gezelligheid!
Met geld kun je
een zacht bed kopen,
maar geen slaap!
Met geld kun je
relaties kopen,
maar geen vriendschap!
Met geld doe je
alle deuren open,
maar open je nooit
de deur van
het hart!

GELUK
komt niet
via de bankrekening.

GELUK
komt niet
van de lopende band.

GELUK
wordt niet geboren
in een laboratorium.

GELUK
is nooit het resultaat
van een technische ingreep
of van een druk
op de knop.

is geboren
in het grote dogma
dat met geld
te koop is.

het me
in de sta
menselijk

het meest verwaarloosde
st onderontwikkelde gebied
van de mens
is het
hart!

Het grote
probleem van de
hedendaagse samenleving
ligt niet op het gebied
van welvaart en comfort,
van wetenschap en techniek.
De klok hoeft niet
teruggedraaid te worden!

Geen zinnig mens ontkent
de waarde van wetenschap
en techniek!
We hoeven niet terug
naar de kar van grootvader!

Techniek is goed!
Wetenschap is goed!
Welvaart is goed!
Elektronica is goed!
Organisatie is goed!
Geld is goed!

Het gevaar,
dat ons bedreigt
is niet
de verbazende vooruitgang.

De tragiek ligt in het feit,
dat een fantastische
menselijke macht opereert
te midden van een
geestelijke leegheid zonder
voorgaande. Dagelijks
vermeerdert de mens zijn
technisch-wetenschappelijk
vermogen en dagelijks
vermindert relatief zijn
inzicht in de mysterieuze
menselijke levensbanden en
in de diepere
lotsverbondenheid van
mensen en volkeren.
Hij mist vooral de
geestelijke kracht om alles
te bezielen en zinvol te
maken!

Tussen de technisch-wetenschappelijke vooruitgang en de geestelijke ontwikkeling van de mens, is er een kloof ontstaan, een angstwekkende kloof. De mens heeft zich te eenzijdig ontwikkeld, door zich bijna uitsluitend bezig te houden met zijn materiële vooruitgang. De mens is slachtoffer geworden van zijn eigen schepping. Gevangen in het door hemzelf geschapen bestel van machines, apparaten, technieken, wetenschappelijke methoden en structuren, wordt hij nu zelf gemanipuleerd, geprogrammeerd, genivelleerd en gedegradeerd tot luxe-verslaving binnen vaste lijnen in een wereld vol elektronische wonderen.

Het gevaar,
dat ons bedreigt,
is de mens,

de computermens,
de supermens,
die wel de nodige kennis
en vaardigheid bezit
maar elke diepere cultuur
mist,
de wetenschappelijk en
technisch hoog
gekwalificeerde mens,
die wellicht weinig verschilt
van de denkende machine
van de 21ste eeuw.

Op het grote voorhoofd
van het westen
verschijnt
het teken van Kaïn.

Mensen zijn geen broeders
en zusters meer.
Mensen zitten,
vervaagd achter glas en
beton,
allen in een eigen stulp
met een eigen atmosfeer.
Het menselijk contact
is gestorven
in een koude administratie,
waar mensen herleid worden
tot nummers
op de rug van dossiers
of tot code
op magnetische banden.
Mensen voelen zich
voor elkaar
niet meer verantwoordelijk.
Mensen worden
concurrenten
in de arena
waar gevochten wordt
voor het grootste deel
van de koek.

Mensen worden verdrukt,
gekweld en uitgemoord,
terwijl miljoenen
met beate gezichten
voor de 'lichtbak' zitten,
en kennis van nemen
en daarna
de show volgen!

de mens

De mens
een dodelijk gevaar
voor zijn medemens.

Zowat 400.000 wetenschapsmensen, dat is meer dan de helft van het wetenschappelijk en technisch hoog gespecialiseerd personeel in de wereld, zijn tewerkgesteld in de wapenindustrie voor de verbetering van bestaande wapens en het ontwikkelen van nieuwe moordtuigen.

De knapste hersenen zijn verkocht aan de macht en worden betaald door de grootgeldbezitters!

Dit is intellectuele corruptie op wereldschaal.

De tactische nucleaire wapens, opgeslagen in Europa, bereiken reeds een explosieve kracht, die dertigmaal groter is dan de totale T.N.T. ontploffings-kracht, gebruikt tijdens de tweede wereldoorlog.
De strategen spreken over het aantal mega-doden bij een nucleaire oorlog.
Eén mega-dode is gelijk aan één miljoen gedode mensen. Deze afschrikkings-strategie kost 25 miljoen B.Frank — meer dan anderhalf miljoen gulden — per minuut en had ontelbare mensen kunnen redden van de hongerdood.

De bewapeningswedloop
is een vorm van
internationale criminaliteit.
Ook als de wapens niet gebruikt worden, doden ze, alleen al door de bekostiging ervan, de armen, die men van honger laat omkomen.

Dit is collectieve waanzin.

De mens
is het enige wezen op aarde,
in staat
de eigen soort
te vernietigen.

Bouw maar voort,
mensen,
aan de grote wereldstad,
building naast building,
super de luxe,
met alle comfort
en de laatste elektronische
snufjes.
Bouw maar voort
met de best georganiseerde
gezondheidszorg
en alle sociale voorzieningen
van de wieg tot het graf.
Bouw bruggen en
autobanen.
Trek duizend draden
en steek duizend buizen
langs straten en wegen
om mensen met mensen
te verbinden.

Bouw maar voort,
mensen,
de stad is leeg,
de stad is dood
en de mens duizendmaal
met mensen verbonden
sterft van de kou
als er
geen menselijke warmte is,
geen warm menselijk
contact,
geen geborgenheid,
als er geen aandacht meer is
van mensen voor mensen,
als er geen vriendschap is!

Hebzucht
laat je niet toe
met wat ook
tevreden te zijn!

Wie veel behoeften heeft
is een behoeftig mens!
Geluk hangt samen
met behoeftebevrediging!
Gelukkig is hij,
die weinig behoeften heeft!
Het is de gehechtheid
aan de dingen,
die de mensen pijn doet!
Het is de hebzucht
die de mensen kwelt!

Hebzucht leidt tot
verslaving!
Verslaving doodt elk
genieten!

De zucht naar bezit
maakt van de mens
een bezetene!
Wat je wil 'hebben',
vernietig je!
Wil je een mens 'bezitten',
dan wurg je hem,
ook in het huwelijk,
al draagt hier de hebzucht
zo vaak het kleed van
de liefde!

De mooiste
lianen
kunnen
de sterkste
boom
wurgen,
door hem
jarenlang
teder
te omhelzen!

hebzucht

De eeuw
van de hebzucht.

Alles in het westen
schijnt gericht
op een puur materiële
behoeftebevrediging
en op een voortdurend
prikkelen van de soms
animale gulzigheid van het
menselijk wezen.
Als er over vooruitgang
gesproken wordt
heeft men het bijna
uitsluitend over
produktiviteit, nationaal
inkomen, welvaart en
technische prestaties.
Er wordt alleen maar
materiële welstand geboekt.
Men leeft en werkt alsof
menselijk geluk afhangt
van de overvolle rekken in
winkels en magazijnen.

De hebzucht
is een oerkwaal
van de mens
waarover in alle talen
gezwegen wordt!

De hebzucht
heeft de mensen verdikt.
Ze nemen met hun bezit
meer plaats in
dan ze nodig hebben
om te leven
en verdringen zo
de anderen.
De hebzucht
is een vorm van agressie!
Ze is de oorzaak
van alle conflicten en
oorlogen!
Hebzuchtigen kunnen
met hebzuchtigen
nooit vreedzaam
samenleven!

Hebzucht leidt tot
collectieve corruptie!

Het westen is gebouwd op de ondeugden van de mensen.

Het geestelijk vacuüm
wordt opgevuld
door hebzucht,
machtswellust
en andere menselijke
instincten.

Het westen gaat ten onder aan collectieve georganiseerde hebzucht, volgens een gedragspatroon, dat in geen enkele verhouding staat tot de normale menselijke behoeften. De privébelangen van individuen en groepen worden in evenwicht gehouden door een voortdurende strijd, die telkens eindigt in wankele compromissen. Een dodelijke spiraal, waarin iedereen gaat eisen van iedereen en iedereen gaat profiteren van iedereen, om samen alles af te dwingen van de staat. Want de staat, dat zijn de anderen. Zo sterft elke democratie!

Hebzucht en egoïsme zijn verdovende machten en sociaal aanvaarde drugs!

De gevolgen van de menselijke hebzucht op politiek, economisch en sociaal gebied zijn catastrofaal.

Hebzucht en eigenbelang zijn door politieke partijen, door vakbonden en werkgevers, door financiële en economische grootmachten aanvaard als basis voor sociale vooruitgang en maatschappelijke orde.

Als je de diepste drijfveren tot handelen in de nationale en internationale politieke, economische en sociale verhoudingen ontleedt, stuit je steeds op hetzelfde: Hebzucht, winstbejag, geld, handhaving van gevestigde macht en verworven bezit.

De nationale en internationale economische politiek is in wezen asociaal!

Geen enkel mens en geen enkele groep hebben het recht hun macht en hun politiek te misbruiken om eigen winsten en eigen inkomens te verhogen in een zinloze spiraal van hebzucht.
Waarom moet de produktie stijgen? Waarom méér verdienen, méér winsten, méér geld, méér kopen, méér verbruiken? Waarom die zinloze spiraal van 'je krijgt een frank meer om een frank meer te betalen?' Waarom? Voor wie en voor wat? Wie zijn de onzichtbare machten, die hier het ritme bepalen?

De politieke, economische en sociale situatie in de wereld is immoreel!

Ik hoor hem nog altijd roepen: ''Foutez-nous la paix.'' Trap het af met uw ontwikkelingshulp! Het was op een internationale conferentie te Parijs.

Een zwarte onderwijzer kwam naar voren, wachtte tot de zaal muisstil was en riep uit: ''Foutez-nous la paix. Gij hebt ons nooit geholpen. Als ge ons helpen wilt komt dan in onze schoenen staan en drinkt met ons dezelfde beker, dan zult ge weten, dat we uw beschaving niet nodig hebben!''

Ik zie een man uit de hoge Atlas. Hij heeft een droom. Hij gaat te voet naar Marrakech en van Marrakech te voet naar Casa. Hij heeft een zelfgemaakte stok en een dikke djelleba. Hij heeft een droom. Hij lacht. Hij zal vrienden ontmoeten. Ze zullen samen zitten in de zon. De dag is goed. Ze praten. Ze lachen. Ze eten, ze slapen. De dag is goed.

Ik zie een man uit de hoge Atlas. Hij heeft een droom. Hij is niet gehaast. Hij heeft tijd. Bij hem geen teken van stress. Ik hoor hem denken: ''Kom niet door mijn dromen rijden met ontwikkelingsplannen vol fabrieken en multinationals. Kom vriendschap sluiten. En we zullen samen het huis bouwen. Breng ons een beetje welvaart, en wij zullen u leren leven.''

Economie en wereldhandel,
de twee hefbomen,
om de arme landen tot
ontwikkeling te brengen,
worden gehanteerd door de
rijken en de multinationals,
alsof de goederen der aarde
hun 'privé-eigendom' zijn.
Terwijl men zich in de
rijkste landen klaarmaakt
voor het post-industrieel
tijdperk, waarin de mens,
dank zij het in gebruik
nemen van de verst
gevorderde technieken,
maar 2 à 3 dagen per week
hoeft te werken, laat men
uit eigenbelang de armste
volkeren achter in de
zwartste ellende.
Het gaat niet om kennis en
techniek, om geld en
organisatie. Dit alles is
aanwezig. Het gaat om iets
veel diepers. De armen
worden door de rijken niet
bemind.

Het probleem
is onoplosbaar,
niet bij gebrek aan
middelen,
maar bij gebrek aan
menselijke solidariteit.

*Je kunt geen aanklacht
formuleren tegen de
manier, waarop de
machtigen en de rijken
de goederen der aarde
misbruiken, zonder hulde
te brengen aan de mannen
en de vrouwen, die tot in
de hoogste top een
wanhopig gevecht leveren
voor de rechten van de
kleinen en de zwakken.
Het zijn hardwerkende,
zeer bekwame mensen,
als bloemen in een veld
vol onkruid, omdat tevelen
aan de top zijn gekomen
die er niet thuishoren.*

onmacht

Het westen kan niemand meer helpen.

Ontwikkelingshulp een onzinnig historisch avontuur.

De officiële ontwikkelingshulp is als een verzekeringspremie, die betaald wordt, om een uitbarsting te voorkomen en om zo lang mogelijk de internationale handelsstructuren in stand te houden voor eigen welvaart en veiligheid.
De massa wapens,
die het westen levert aan de ontwikkelingslanden en die met de honger van miljoenen betaald worden, zijn de export van een beschaving die failliet is.

Voor het dagelijks stuk vlees op tafel geven de rijken per jaar 380 miljoen ton graangewassen aan de beesten. De mensen in de arme landen krijgen 600.000 ton toegewezen.
Dat is anderhalve kilo voor de armen per duizend kilo voor de beesten, omwille van de malse biefstuk.
Dat is 2.000 maal minder dan de klassieke tiende, die volgens de Bijbel en de Koran aan de armen moet gegeven worden.
Waarom is er geen voedsel voor ieder mens?
Ik zag eens een nijlpaard levensgroot uit de rivier opkomen. Hij weegt drie ton, zei men.
Waar haalt deze drietonner elke dag zijn eten, dacht ik. Wie heeft voor hem de tafel gedekt?
Waarom ontvangen nijlpaarden hun dagelijks voedsel en sterven mensen van honger?

van het westen

Het westen kan ook zichzelf niet helpen

Het westen is als een rijke baron, oud en versleten, weldoorvoed, maar met een leeg gemoed, die zwemt in een stroom van luxe-prullen en niet meer weet waarvoor hij leeft. Heilig is het Bruto Nationaal Produkt, het gouden kalf, de grote koek. Hij zit gevangen tussen de berries van eigen hebzucht en animale gulzigheid. Hij staat dood in het leven, gestikt in de materie!

Het aantal zenuwzieken, gefrustreerde en geestelijk ontredderde mensen stijgt. Er zijn voortdurend uitbarstingen van ontevredenheid en frustratie.

Er is zoveel geestelijk en moreel lijden.

Mensen, die elkaar op een verfijnde wijze kwellen, in de steek laten en tot wanhoop brengen. Het aantal zelfmoorden, ook van jonge mensen, neemt toe!

90 % van het leed in de wereld doen de mensen zichzelf en elkaar aan!

Ze was schatrijk.
En ze wilde dood zijn.
Een tweede huis in
Hamburg, één in Parijs en
één in Londen.
En ze wilde dood zijn.
Ze had pillen ingenomen.
De dokters konden haar
redden.
Twee uur heb ik geluisterd
naar haar verhaal,
en tenslotte huilde ze:
''Ik had alles willen
missen, alles willen missen,
had ik maar een klein
beetje genegenheid en
vriendschap gekend''.

Je kunt gelukkig zijn
in een hut
met liefde
en
diep ongelukkig
zonder liefde
in de chicste villa
met 'tapisplain' tot tegen
het plafond.

Geld
maakt mensen arm!

Een hut en een hart
is alles
wat je nodig hebt
om gelukkig te zijn.

Een pil voor de eetlust.
Een pil om te verteren.
Een pil voor de lever.
Een pil voor de bloeddruk.
Een pil voor het hart.
Een pil om te vermageren.
Een pil voor de zenuwen.
Een pil om te slapen.

Het uur van de dokter!
Het uur
van de meestal
machteloze psychiater!

Met de welvaart in het westen is ook de psychiater verschenen.
Als ik de psychiaters zo talrijk zie opkomen en de mensen in lange rijen zie aanschuiven, denk ik aan de deurwaarder.
Het westen is geestelijk failliet!
Psychiaters kunnen veel helpen maar hebben meestal geen macht over de dieperliggende menselijke en maatschappelijke oorzaken van stress, levensmoeheid en wanhoop.

Ik hou van de psychiater
die een goed mens is
omdat een goed mens
al een goede psychiater
is.

Want meer dan aan deskundigheid hebben mensen in een ontmenselijkte maatschappij nood aan menselijke warmte, aan liefde!

Het westen evolueert naar een maatschappij
waar tenslotte de ene helft van de mensen
moet overgeleverd worden aan de andere helft
om verzorgd te worden.

Consultatiebureaus, psycho-sociale, medico-sociale
diensten, centra voor geesteshygiëne,
psychiatrieën, tehuizen en homes:
moderne menselijke herstellingsbedrijven.

Psychiaters, psychologen, maatschappelijke werkers.
We leven in een woud van diensten en verzorgers.
Ze doen fantastisch 'werk', maar het is lapwerk.
Zieke mensen leren leven in een zieke maatschappij,
die ze nog zieker maakt is een vicieuze cirkel,
zolang er geen zuiveringsstations zijn om de publieke
atmosfeer weer gezond te maken.

De geestelijke gezondheid van de mens
kan slechts gewaarborgd worden
door het grondig saneren
van huwelijk en gezin,
door het saneren van het eerste onthaal
van de mens op aarde:
het hart van de vaders en moeders!

Nu de drie elementaire behoeften, voedsel, kleding en huisvesting voldaan zijn, bevindt de mens zich plots in het luchtledige, in een geestelijk vacuüm.
Hij zoekt steeds meer overbodige dingen.
Hij geeft zich over aan een onvoorstelbare verspilling.
Hij gaat de leegheid verdrinken in een wanhopig vitalisme.

Mensen verdringen zich in onstpanningscentra, privé-clubs en andere gelegenheden, waar men duur betaalt om aan de verveling te ontsnappen.
Tijdverdrijf wordt dure recreatie. De zogenaamde levensvreugde wordt op een kunstmatige en georganiseerde wijze geuit en in geweldige beelden gedemonstreerd en geafficheerd.

Vitalisme is geen uiting van leven maar de camouflage van een grondig gebrek aan leven en natuurlijke levensvreugde. Nu de mens alle middelen heeft om te leven heeft hij geen zin meer om te leven. Wegens zijn geestelijke armoede kan de mens waarschijnlijk de situatie in de toekomst niet aan. Hij beseft dit onbewust. Maar hij vlucht voor de moeite, die het kost, om radicaal te veranderen en te streven naar een nieuwe levensstijl.

De fantastische technische vooruitgang had de mens vrij moeten maken voor zijn geestelijke ontplooiïng!

Vrij om zinvol te leven!
Vrij om te genieten van
zoveel schone en goede
dingen!
Vrij om gelukkig te zijn
met een geluk, dat gratis is!

Maar de maatschappelijke structuren bleven bijna uitsluitend gericht op een zuivere materiële behoeften-bevrediging en op het scheppen van nieuwe behoeften!

De huizen van de mensen
staan overvol.
Er is alle comfort
en je mist de vreugde
om het leven!
Ogen en hart zijn toe,
gesloten voor het wonder,
voor het mysterie
van het leven
en van ons mens-zijn!

En dit is het ergste:
als je niet in de gaten
hebt dat het donker is
zul je het licht niet
zoeken!

Het drama
van het westen
''alles bezitten
en
van niets meer
kunnen genieten''

Mensen lijden aan een vreselijke sclerose,
de sclerose van geest en hart!

De sclerose van geest en hart
betekent
het einde van elk menselijk genieten,
het einde van elke levensvreugde,
het einde van elke beschaving!

De amputatie van geest en hart
is
een dodelijke verminking
van de mens.

Wanneer een mens
geestelijk ten onder gaat
kan geen welvaart hem nog redden!

Wetenschap en techniek tilden het westen
hoog uit boven de wereld, grepen naar de sterren,
maar zijn niet in staat gebleken
mensen gelukkig te maken op aarde!

Het fiasco
van een technisch wetenschappelijke beschaving.

Men gaat naar de maan en 320 miljoen kilometer ver naar Mars om te zien of er leven is, terwijl miljoenen mensen op onze eigen planeet nog geen leven hebben!

De uitvindingen van de laatste eeuw
waren uitvindingen van snelheid en efficiëntie,
van comfort en prestige,
niet van wijsheid!

De

De fout van de economisten.

De economisten hebben alleen rekening gehouden met economische factoren. Zo werd ook de mens gedegradeerd tot economische factor. Hij kreeg in de economie de weinig vleiende naam van 'mensen-materiaal', in zoverre nuttig voor het produktie- en consumptie-proces. Waar mechanisatie en automatisatie meer produktie en meer winst opleveren werd het 'mensen-materiaal' afgedankt.

De fout van de technocraten.

De technocraten hebben gemeend, dat alles, wat technisch mogelijk was, ook gerealiseerd moest worden. Ze hebben te weinig rekening gehouden met de werkelijke en concrete behoeften en noden van de mensen. Ook in hun denkkamers stond niet de mens centraal, maar het technisch produkt.

Het bedrog van de intelligentsia.

Men heeft, tegen beter weten in, de mensen wijsgemaakt, dat er een uitwendig recept bestaat om gelukkig te zijn. De zakenwereld en de reclame hebben hiervan geprofiteerd en de massa doen geloven, dat met geld alles te koop is.

leugens

leugens van de twintigste eeuw.

Time is money! Tijd is geld!

Een onzinnige uitspraak
die voor velen een dogma werd.
Deze slogan heeft de mensen van de 20ste eeuw
geteisterd met hartinfarcten.
Tijd is ruimte om te leven en gelukkig te zijn!

Stilstaan is achteruitgaan!

Dit gezegde heeft het versnellingsritme op gang gebracht
in de produktie en de consumptie
met alle gevolgen vandien.
Het is oorzaak van de schaalvergroting in het bedrijfsleven
en heeft de multinationals voortgebracht
en een alles overwoekerende bureaucratie.

De publieke opinie.

Dit is meestal het produkt
van de opiniemakers
die de media in handen hebben
en hun eigen opinie voorstellen
als de opinie van het grote publiek.

De innerlijke bezoedeling, de psychische bezoedeling van de mens ligt aan de basis van de totale vervuiling van het menselijk milieu.

Mens,
alles werd je in handen
gelegd, alle leven werd je
toevertrouwd. Je had een
tuinman kunnen zijn in
een paradijs, waar de
bloemen gratis voor je
bloeien, maar je hebt van
je handen grijpers gemaakt,
je voeten werden
rupsbanden om door alles
heen, voor je eigen glorie
en heerschappij, een
monument van staal en
beton te bouwen! Nu zit je
daar dood in je dikke huid,
tussen duizend dooie
dingen, super-de-luxe,
zoekend naar een pil om te
leven!

Mens,
elke aanslag op het leven in
de natuur was een aanslag
op jezelf!

vervuili

De mens heeft een spoor van

De aarde was
een wondere woonplaats
met zuivere lucht
en helder water.
Een paradijs
in het licht van de zon.

ng

vervuiling en vernieling
over de aarde getrokken.

De mens heeft
zijn eigen nest
bezoedeld.

Het bulldozerwezen,
dat zich 'mens' noemt,
heeft water en lucht,
twee basiselementen
van alle leven op aarde,
bezoedeld.
Olietankers,
als gigantische spoken,
trokken een spoor van
vervuiling over zeeën en
over stranden.
Chemische industrieën
spoten tonnen zwaveldioxide
in de atmosfeer
en vitriool in de rivieren.
Een stroom van auto's liet
290 kg giftig koolmonoxyde
per 1000 liter benzine
achter in de straten van de
steden tot in de kleinste
dorpen.

De vooruitgang
van het westen
is geen
menselijke vooruitgang
meer!

De technische
en zuiver rationele en
wetenschappelijke
benadering van de dingen
heeft de mensen geestelijk
verarmd en afgesneden van
de diepe verbondenheid
met elkaar, met de natuur
en de kosmos.
Het geestelijk denken
heeft plaats gemaakt voor
het technisch denken!
De natuurlijke levensbanden
worden verbroken.
De totale vermaterialisering
van zijn bestaan heeft de
mens losgemaakt van zijn
wortels.

De ontmenselijking van de moderne woon- en werkomstandigheden bevordert het afstotingsproces tussen mensen en de ontbinding van de natuurlijke leefgemeenschappen.
Er wordt een aanslag gepleegd op de oorspronkelijke levenscel: huwelijk en gezin.
De familie takelt af tot er niets meer overblijft dan twee mensen, die beiden gaan werken en samen gaan eten in de self-service, terwijl de kleine kinderen worden uitbesteed. De grote kinderen wonen al op kamers en de grootouders worden opgeborgen in het bejaardenhuis.
Er is geen menselijke warmte meer.
Oude mensen zijn een probleem geworden.
En kinderen zitten in ouderloze huiskamers.
Kinderen worden heen en weer gesleurd tussen gescheiden partners.
Kinderen vinden geen geborgenheid meer en zijn de moderne 'thuislozen'.
Hun gevoelsleven wordt grondig verstoord.
Waar de natuurlijke levensbanden worden verbroken groeit de vervreemding en de eenzaamheid.
Mensen worden in de kou geboren, moeten in de kou leven en zullen innerlijk van kou sterven in monsteragglomeraties, waar ze in luxe-verpakking in hypermoderne flatgebouwen met duizenden dicht op elkaar zitten. Ze hebben de band met elkaar en met de natuur verloren.

Een beschavingscrisis is een dodelijke crisis
wanneer alles geofferd wordt
op het altaar van de materiële vooruitgang!

De mens sterft als hij geestelijk dood gaat!

Mensen zijn vies geworden
van mensen
tot in de moederschoot.
Omdat een mens nergens
meer veilig is
is hij ook niet meer veilig
in de moederschoot!

Het is een natuurlijk gegeven dat de mens de warme geborgenheid van de moederschoot nodig heeft om geboren te worden!

Eerbied voor de natuur
begint hier!

Het is de zuiverste hypocrisie wetten te maken om het leven in de natuur te beschermen, de boom langs de weg, de vogel in zijn nest, de zeehond in de zee en elk beginnend menselijk leven over te laten aan willekeur.

Mensen zijn in de moederschoot op een fundamentele wijze aan elkaar toevertrouwd.

Menselijk leven is
een groot mysterie!

De enige verantwoorde houding tegenover alle menselijk leven, van af zijn ontstaan, is een diepe schroom en een oneindige eerbied!

Ween,
moeder aarde,
om het grote verdriet
van alle leven
dat je hebt
voortgebracht.

Je hebt het stille verborgen leven gekoesterd in je schoot. Je was vruchtbaar in miljoenen gewassen. Je liet miljoenen diertjes spelen onder je huid, in alle groen tot in de diepste oceaan.
Je liet een weelde van vlinders en vogels nestelen in bomen en struiken en dansen in alle luchten.

Ween, moeder aarde,
om het grote verdriet
dat mensen
je hebben aangedaan.

Zij hebben roofbouw gepleegd op de grondstoffen, die eeuwen de tijd kregen om zich in je schoot te vormen.
Zij zijn bezig in een beestachtig tempo je helemaal uit te putten en de rijkdom van hun eigen kinderen en kleinkinderen te verbrassen!

Ween,
moeder aarde,
om het grote
verdriet.
Ween, aarde,
om de ontaarding
van de mens.

Jaren geleden kreeg ik
een schilderij heel teer
geschilderd door een jonge
man, in de ogen van de
mensen een hippie.
Op zekere dag had hij
onze wereld gezien als in
een visioen en schilderde
de ondergang van onze
planeet.
Een fascinerend beeld!
Om koud van te worden.
In verre luchten branden
de steden van de rijken.

Er is een grote barst in de
aarde. Vier kleine magere
mannen dragen in een
ijzige gelatenheid uit de
stad van de armen aan de
armoehutten voorbij een
doodkist naar die barst toe.
Rechts huilt de wanhoop
in een geknielde vrouw
met stomparmen naar de
hemel.

In het midden is er
een illusie van hoop,
een bloem,
maar uit die stengel is
een heel stuk
weggesneden.
Het is de laatste bloem
die sterft.

Als we doodarm
van welvaart en comfort ontdaan
op de puinhoop
van onze beschaving zitten,
maar in ons hart
nog kunnen geloven in het licht
en in de liefde
van mensen voor mensen,
dan zal de bloem genezen.

We zullen het stuk, dat ontbreekt,
terug in de stengel zetten!
En waar één bloem weer bloeien kan
zullen op een dag
duizend bloemen staan!

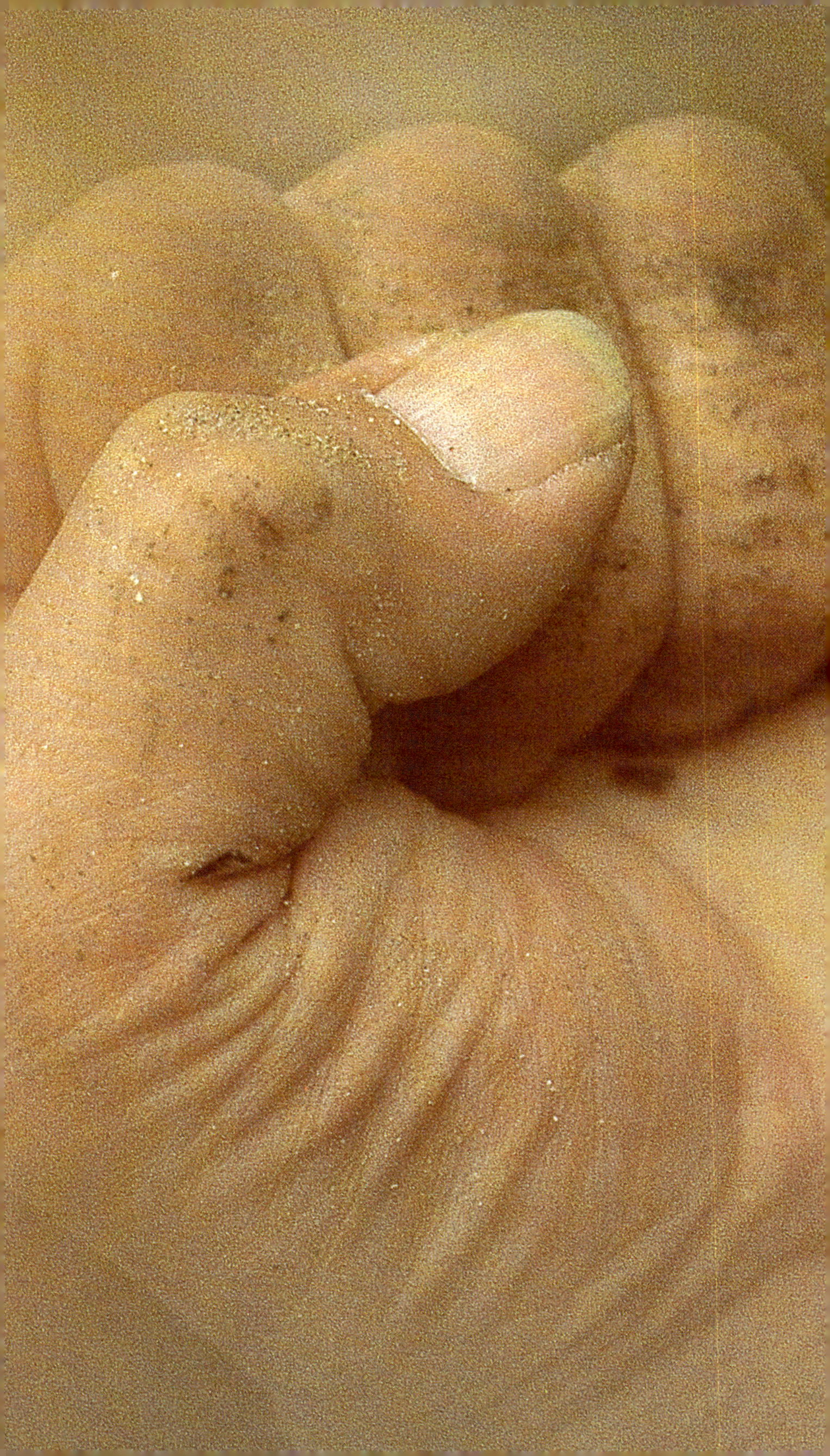

geweld

is het
slechtste antwoord
op
de diep menselijke
problemen
van deze tijd.

Er moet een totale ommekeer komen
in onze denk- en leefgewoonten.
Een grondige verandering
in onze dagelijkse verhoudingen
met elkaar en met heel de natuur!

We staan voor een enorme uitdaging
die alleen maar beantwoord kan worden
door een even enorme omschakeling
in ons denken, ons voelen en ons willen,
door afscheid te nemen van gevestigde ideeën
over macht en bezit, over geld en comfort,
over de aanwending van wetenschap en techniek.

Het gaat om de vermenselijking
van politieke, sociale en economische
verhoudingen,
in dorp en stad en in alle landen!
Er moet een nieuwe stijl van samenleven
mondiaal groeien!

Alles moet veranderen:
de mens en de maatschappij!

Ik wil
de wereld
veranderen
maar
ik hou teveel
van mensen
om dit
met geweld
te doen!

Geweld doet elke revolutie

Je wilt de schuldige treffen en j

Gewelddadige revoluties zijn mislukt niet volgens de normen van hen, die zich een tijdlang overwinnaars voelen en de macht in handen houden, maar volgens de normen van de elementaire menselijkheid.

Geweld verandert niets tenzij de namen van de machthebbers.

Bij geweld wint altijd de sterkste en is het recht van de sterkste heilig. Geweld plus geweld is steeds meer geweld, een zinloze en eindeloze spiraal.

Geweld lost niets op. Geweld is een vorm van uiterst pessimisme.

De uiteindelijke zwakheid van gewelddadige revoluties is, dat ze niet alleen niets veranderen, maar ook altijd die dingen oproepen, die ze beweren te bestrijden: corruptie en onrecht.

Gewelddadige revoluties zijn schijnoplossingen!

Als gewelddadige revoluties de wereld hadden kunnen redden, dan waren we reeds lang in de zevende hemel. De loop van het geweer verandert niets, de mensen niet en de maatschappij niet.
Wie met geweld overwint heeft helemaal niet overwonnen. Hij heeft alleen een lichaam gedood en de geest van de gedode zal sterker terugkeren in anderen.

Geweld van mensen tegen mensen is een vorm van criminaliteit.

ontsporen en mislukken.

doodt de onschuldige!

Geweld
is een verkeerd woord voor revolutie.

Revolutie heeft vanuit zijn oorsprong
niets te maken met geweld.
De geschiedenis heeft het woord
'revolutie' gevuld met bloed en tranen
en het aldus praktisch onbruikbaar gemaakt.
Van het latijnse woord 'revolvere'
wil revolutie alleen maar zeggen 'omkering'.

REVOLUTIE
is breken met heersende wanorde.

REVOLUTIE
is breken met alle vormen van onrecht,
onmenselijkheid en corruptie.

REVOLUTIE
is verandering van de maatschappelijke grondstructuren,
is alle harde en gewelddadige structuren vervangen door
menselijke structuren van aandacht en zorg van mensen
voor mensen.

Revolutie
is een verkeerd woord voor geweld.

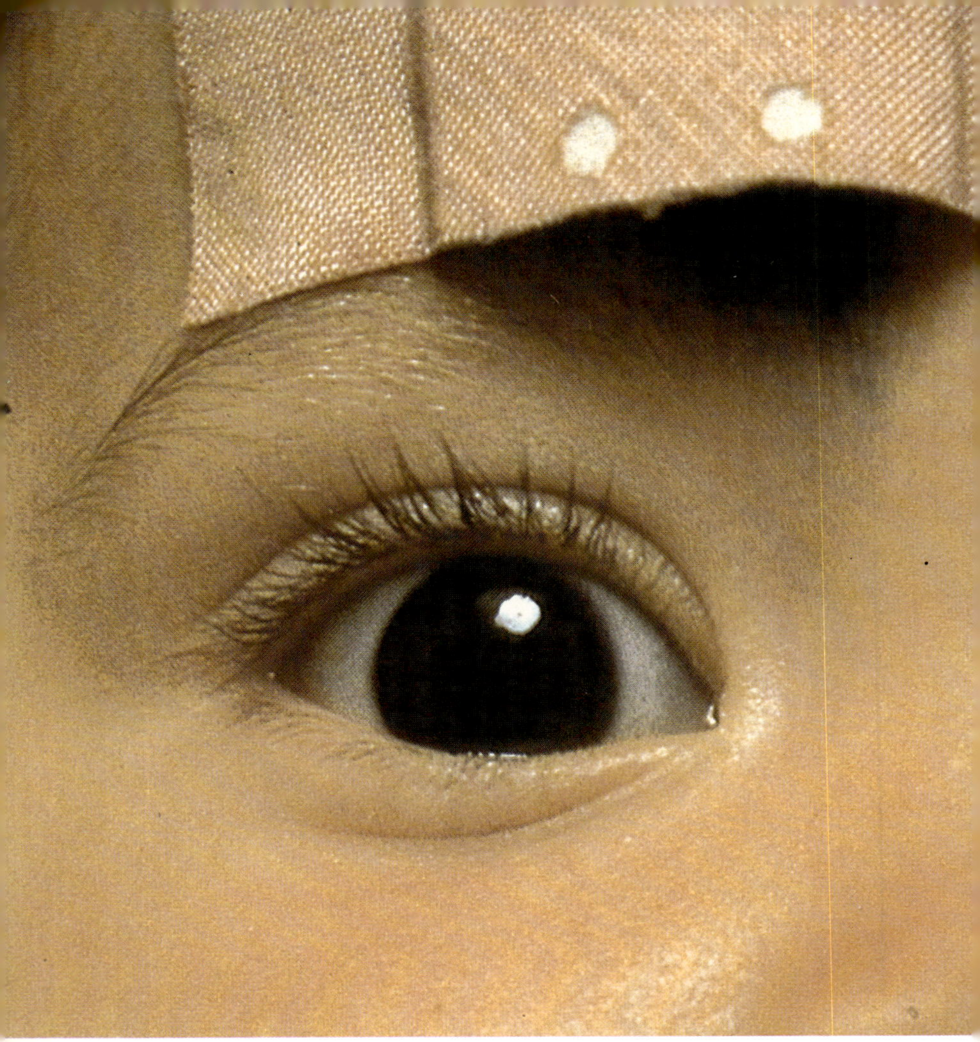

Als voor je ideologie
een onschuldige
dan vervloek ik
en walg ik

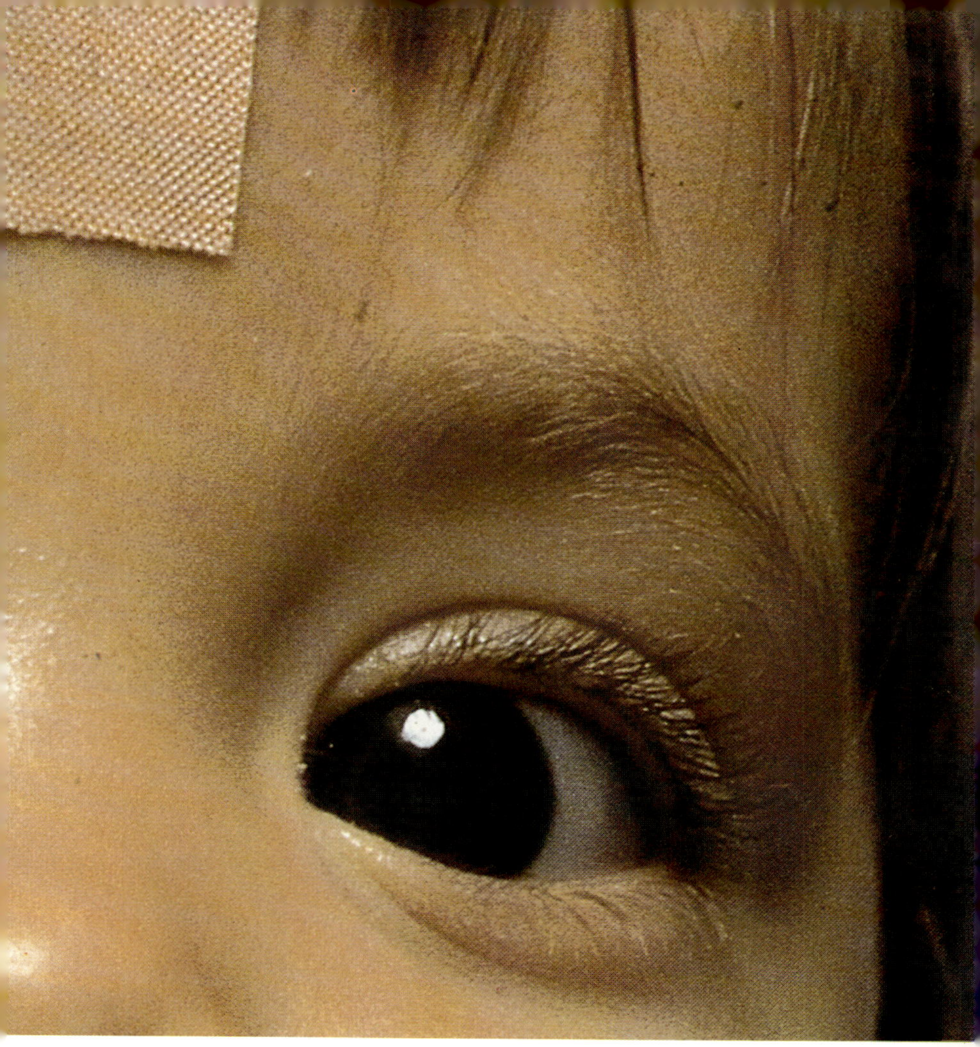

of voor je nieuwe maatschappij
of één enkel kind moet sterven,
e ideologie
van je maatschappij.

Eer geweld tot uitbarsting komt, moet er heel veel haat opgestapeld liggen in het hart van de mens. En haat is blind. In de haat is er geen sprake meer van recht en onrecht. In de haat kies je voor macht, moet je de sterkste zijn.

In de haat kies je voor de eeuwenoude methode van brutaal geweld, waardoor de wereld in een chaos gestort wordt, met een barbaars teveel aan bloed en tranen, aan onschuldig en onzinnig lijden.

In de haat groeit de jungle over de wereld. De haat is het huis van de dood. De haat doodt zowel degene, die haat, als degene die gehaat wordt. Wie een medemens vermoordt heeft eerst zichzelf vermoord.

De haat
is een even grote kracht
als de liefde
maar het is
een destructieve kracht.

De haat
maakt van mensen
monsters.

Wie geweld gebruikt heeft
geen controle meer
over het beest dat in hem
is losgebroken.

Geen enkele omstandigheid rechtvaardigt een bloedbad. In het doden van onschuldige mensen wordt zoveel onschuld gedood, dat geen mens ter wereld dit verantwoorden kan.

Hoe kunnen mensen in naam van de vrede met een gerust gemoed aanvaarden dat duizenden onbekende naamloze mensen vermoord worden? Ze staan niet oog in oog met de doodsstrijd van ieder van hen.
Ze maken zich geen voorstelling van de pijn en de diepe verlatenheid, waarin een verscheurd en gemarteld mens sterft.

Het is opvallend, dat zij, die geweld onvermijdelijk vinden, meestal op veilige afstand blijven en het geweld nooit tegen zichzelf gekeerd zien.

Geweld heeft nooit vrede gebracht tenzij de vrede van het kerkhof.

Geweld kun je
met geweld niet bestrijden.
Onrecht kun je met
onrecht niet ongedaan
maken.
Kwaad kun je met kwaad
niet goed maken.

Duisternis kun je met
duisternis niet verdrijven.
Alleen het licht kan dat!
Haat kun je met haat niet
genezen.
Alleen de liefde kan dat!

Geweld is
gecamoufleerde onmacht!

Mensen straffen elkaar
in hun onmacht
elkaar te vergeven
en lief te hebben.

In het evangelie van Jezus
van Nazareth ligt de kracht
om alle geweld uit de
wereld te helpen!

onrecht

Een systeem gebaseerd op macht en beheerst door het recht van de sterkste kan in naam van het recht het grootste onrecht plegen en in naam van de orde de grootste wanorde in stand houden!

Geweld is iedere vorm van onrecht een medemens aangedaan!

Wat geweld veroorzaakt kan erger zijn dan geweld. Wat terrorisme veroorzaakt kan erger zijn dan terreur. Elke uitbuiting en elke verdrukking van kleine machteloze mensen, waar ter wereld ook, is even misdadig als het geweld van een oorlog!

Het geweld van de onderdrukten.

Ik buig diep voor het wanhopig geweld
van de armen en de onderdrukten,
die in een laatste waanzinnige poging
zich willen bevrijden van het ondraaglijk geweld
van tirannie en blijvende uitbuiting.
Zij zijn kinderen van de wanhoop.
Als er excuses bestaan voor geweld
dan gelden ze voor deze mensen,
niet voor salon-guerrillastrijders
of revolutiepredikers aan universiteiten,
die op veilige afstand blijven.
Nooit zal ik armen en verdrukten veroordelen,
die in uiterste wanhoop naar de wapens grijpen.
Hun geweld is een allerlaatste bittere smeekbede
om in deze wereld 'mens' te mogen zijn.

Vrede is nooit het resultaat van

De prijs,
die mensen voor
oorlog en geweld
betalen
is altijd veel groter
dan de prijs,
die de vrede kost!

In tijden van oorlog kunnen mensen zich alles ontzeggen, zijn mensen tot alle offers bereid, laten mensen zich zwaar belasten. Ze geven hun geld en hun leven. Ze lijden honger en gebrek, met als resultaat dat miljoenen medemensen worden vermoord en duizenden dorpen en steden worden verwoest. **Waarom geeft de oorlog de mensen zoveel energie en uithoudingsvermogen en is de 'vrede' niet in staat de mensen te bewegen zich ook maar iets te ontzeggen?**

Is de moderne mens geestelijk en moreel een oermens gebleven?

oorlog en geweld.

De oermens bezat een knots om zijn ruzies op te lossen. De gevolgen van elk conflict bleven beperkt wegens de beperkte mogelijkheden. Nu hebben zijn vuisten de kracht van een kernwapen gekregen en reiken zijn armen tot over de grenzen der aarde.

Het gevaar zit echter niet in de kernwapens maar in de mens! Zolang het hart van de mens niet verandert, is elke hoop op ontwapening een illusie!

Leg alle wapens ter wereld in de handen van een Frans van Assisië en je kunt op je twee oren slapen.

Hij was jong
vol idealisme.
Hij was
mijn vriend.
Een zekere agitator.

Hij heeft de weg van het licht verlaten, de weg van de liefde. Hij is de nacht ingegaan, de weg van de haat. Het doet me pijn.

Zijn woorden barsten open als explosieven. Hij duldt geen tegenspraak meer. Met alle geweld wil hij de wereld bevrijden, maar hij steekt geen hand meer uit om één mens te helpen. Dat past niet in zijn strategie. Hij praat nu altijd over 'het' systeem, nooit meer over mensen. Ieder mens die tevreden is, is een rem voor zijn revolutie! Hij houdt niet van mensen. Hij zit nu veilig en ongenaakbaar, zijn hersens te week in het sterke water van een ideologie, waarin alles klaar en helder is en de enige schuldige: 'het systeem', vertegenwoordigd door de anderen. Er is in heel zijn wezen geen enkel spoor van vreugde meer.

Met de haat in zijn hart heeft hij zichzelf vermoord.

De leugen is de moeder van het geweld!
Het is een leugen dat al het kwaad van de wereld alleen maar zit in de anderen, in het kamp van de tegenpartij.
Deze leugen ligt aan de basis van elk geweld.
De structuren en de staat de schuld geven van alles, wat verkeerd loopt met mensen, is een gemakkelijk alibi voor hen, die oppervlakkig denken, veel praten en zelden de daad bij het woord voegen.
Wie dagelijks geconfronteerd wordt met de diepste noden van de mensen, weet, dat heel veel mensen meer slachtoffer zijn van hun eigen ondeugden dan van de maatschappij!

Je wilde alles met geweld veranderen.
Je was aan de universiteit
een zekere bourgeois-revolutionair.
Je had een grote mond.

Je hebt je vader vervloekt.
Maar je vader had geld
en hij hield je in leven.
Je had een auto en een meisje.
Je had vrienden,
dank zij de welgevulde voederbak van je vader.
Je bleef even gulzig consumeren.
Nu heb je zelf de voederbak in handen
en doe je mee aan een maatschappij
als een varkensstal,
waar de vetste varkens
'links' en 'rechts' vooraan liggen
en altijd met de beste brokken weg zijn!

Zij, die alleen met geweld alles willen veranderen
zijn dikwijls zelf innerlijk verscheurd.
Hun geweld is meestal het gevolg van frustraties.
Het zijn de verwende kinderen van de welvaart,
die tot in hun kleinste teen voelen,
dat rijkdom niet gelukkig maakt.

In hun onmacht
zichzelf te veranderen en te bevrijden
steken ze al het kwaad in de anderen
en in de structuren
en gooien ze alles stuk.

Zelf innerlijk verscheurd en ontredderd
kunnen ze alleen maar vernielen.

De mens wil altijd zijn omgeving
aanpassen aan zijn eigen innerlijk!

De staat
met zijn logge structuren is een olifant
die geen rekening houdt
met de grassprietjes!

De staat
kan geen zieke bezoeken!
De structuren kunnen niet
met een gehandicapte gaan wandelen!
Jij wel!

Onze vrijheid hangt af van de zorg,
die we dragen voor elkaar!
Uit deze zorg zullen nieuwe structuren groeien
voor een geheel nieuwe samenleving!

Je hebt gelijk! Er moeten nieuwe structuren komen.

Maar structuren hangen niet ergens in de lucht. Structuren zijn produkten van mensen. Structuren zijn de maatschappelijke verharding van menselijke verhoudingen, de door mensen in wetten en voorschriften vastgelegde onderlinge relaties en gedragingen. Structuren zijn dikwijls alleen maar regels en gewoonten op basis van het onderlinge wantrouwen, de hebzucht en het machtsevenwicht.

De politieke chaos, de economische en sociale wanorde in de wereld zijn produkten van mensen. Er is een voortdurende wisselwerking tussen mens en maatschappij.

Als het slecht gaat in de wereld is dat alleen maar omdat het slecht gaat met de mensen. Wie alleen maar de structuren wil veranderen zal in feite niets veranderen en is als een Don Quichote, die tegen windmolens vecht.

Het huis waarin we wonen is in zijn fundamenten aangetast.

Het helpt niet aan het dak en aan het interieur wat te knutselen of de façade te versieren. De fundamenten moeten vernieuwd worden.

Men zal me verwijten
dat ik niets verander
omdat ik zachtaardig ben
en niet over lijken ga.

Als ik droom
van een wereld
vol lieve mensen,
ben ik een naïeveling,
een utopist!
Toch wil ik blijven dromen
tegen alle dromen
van geweld in,
want een nieuwe wereld
is als een nieuwe creatie,
het resultaat van een droom!

De vicieuze cirkel

De wereld zit vast in een vicieuze cirkel.
Kwaad roept kwaad op.
Geweld vraagt geweld.
Een belediging moet gewroken worden.
Het ene onrecht volgt op het andere.
Men zoekt degene, die het eerst geslagen heeft,
niet om te vergeven, maar om terug te slaan.
Men blijft in dezelfde cirkel ronddraaien.
Men wil alles oplossen met rechtvaardigheid.
Maar rechtvaardigheid doorbreekt de cirkel niet.

Het is verrassend,
dat in de geschiedenis van de mensen er plots iemand gekomen is, die de vicieuze cirkel doorbrak, iemand, die een geheel nieuwe weg insloeg:
de weg van de vergeving.

Als er vergiffenis bestaat eisen de doden niet langer het bloed van de levenden en moeten de doden niet meer gewroken worden.

Jezus schakelde de vijanden uit met het woord vergiffenis!

Armer dan de armsten, zonder hulp van wetenschap en techniek, zonder wereldomvattende communicatiesatellieten hebben zijn woorden en het getuigenis van zijn leven en sterven de wereld diep geschokt en plaatsen ze elke generatie voor de keuze:

Geweld of geweldloosheid!
Vergiffenis of wraak!

Na Jezus kwamen vele anderen, zoals Gandhi, Maarten Luther King, Maximiliaan Kolbe en de vele onbekende slachtoffers van geweld, die zelf nooit geweld wilden gebruiken!
Zij hebben meer gedaan voor de bewoonbaarheid van onze planeet en voor het welzijn van de mensen dan alle veldheren samen!

Geweldloosheid vraagt veel moed veel meer moed dan geweld!

Geweldloosheid

is veel meer dan het niet gebruiken van geweld. **Geweldloosheid staat en valt met de visie op het kwaad.** Wie het kwaad alleen maar ziet in systemen en structuren en in andere mensen, maakt een fundamentele denkfout. Het kwaad zit veel dieper. Het zit diep geworteld in ieder mensenhart, waar de ene mens de ander niet aanvaardt, afstoot en tenslotte gaat liquideren.

De tactiek van de geweldloosheid is de tactiek van de liefde, die het kwaad in de wortel aanpakt.

Als het kwaad kan vergeven worden kan het worden uitgeroeid.

Geweldloosheid

is niet alleen de weigering een mens te doden of te martelen. Maar ook de weigering om van een mens te profiteren.

Als iemand je geslagen heeft zul je hem vragen of hij zijn hand heeft pijn gedaan.

Geweldloosheid

is meer dan lief-zijn voor elkaar.
Geweldloosheid
is opstaan tegen elk onrecht, elke uitbuiting, elke corruptie.

Geweldloosheid

is met de inzet van
je eigen leven opkomen
voor de rechten van de
minderheden, van de
armen en de machtelozen,
en met geweldloze acties
alle onmenselijke en
verdrukkende maatschappij-
structuren ombouwen tot
structuren met een
menselijk gelaat.

We moeten leren het
kwaad te bestrijden zonder
iemand kwaad te doen!

Geweldloosheid

is het enig alternatief voor een waanzinnig geworden wereld op weg naar zelfvernietiging.

Geweldloosheid

moet een absolute leefregel worden voor het menselijk geslacht.

Niemand heeft belang bij collectieve zelfmoord. De planeet 'aarde' is een bom geworden. De uitgaven voor bewapening zijn dodelijk. Het gruwelijk en wankel evenwicht in de bewapeningswedloop veroorzaakt een diep trauma in onze beschaving.

De geweldloze beweging moet een massabeweging worden, gedragen door mensen van alle klassen en standen en van alle gezindten!

Zalig de geweldlozen

Zalig de geweldlozen
die niet uit zijn op macht
en weten dat aan hun
lichaam handen groeien om
te geven en geen vuisten
om te slaan!

Zalig de geweldlozen
die zich niet langer
aanpassen aan de eisen
van de technocraten
en aan de normen van een
verdwaasde consumptie-
maatschappij!

Zalig de geweldlozen
die zich niet laten klein
krijgen door het machts-
misbruik van de sterken!

Zalig de geweldlozen
die steeds aan de kant van
de zwakken staan overal
waar mensen slachtoffer
zijn van mensen en niet
moe worden op te komen
voor de rechten van de
verdrukten.

Zalig de geweldlozen
die de spiraal van geweld
in de wereld ombuigen tot
een spiraal van vriendschap
en liefde! Ze zijn als de
stroming in de bedding van
een rivier, die de keitjes
polijst totdat ze meerollen
in de stroming. Met zacht
geweld, veroveren ze de
harten van de mensen!

geweldloo

een zware

Geweldloosheid is geen
vorm van berusting in
bestaande toestanden,
geen handen in de schoot.

Geweldloosheid is geen
zoet en veilig alibi voor
bangerikken.

Geweldloosheid begint
met geestelijke training,
met ascese, met zelfkennis
en zelfbeheersing, met
liefde voor alles wat leeft,
met liefde ook voor de
vijanden. Om een
geweldloze te worden moet
je een stuk door de
woestijn om je eigen hart
te zuiveren!

In de ogen
van de machthebbers
van de groten dezer wereld
ben je de verliezer.
Je zult geen triomfboog
kunnen bouwen, maar je
hoeft ook geen kerkhof aan
te leggen.

sheid

bijna onmogelijke opgave!

**De revolutie van het westen moet
een geweldloze revolutie zijn,
een geheel nieuwe revolutie,
nieuwe stijl en nieuwe inhoud,
een culturele revolutie!**

Een culturele revolutie,
die de menselijke geest bevrijdt uit de materie,
die het hart van de mens losmaakt
uit de greep van de hebzucht.
Een geheel nieuwe revolutie,
de enig menselijke revolutie.
De totale bevrijding van de mens uit de
verdovende machten van geld, machtswellust
en prestige.
De bevrijding uit de kringloop
en het tiranniek automatisme
van een gewelddadig proces!

We moeten nieuwe wegen
De weg van de graankorrel

De graankorrel,
de eeuwige verliezer,
maar
als het koren bloeit
juicht heel de aarde!

We moeten de weg van
het geweld verlaten,
de weg van bloed en
tranen,
de weg van de dood,
de oude weg
van generatie tot
generatie platgetreden
door mensen,
die alleen maar
geloofden in macht en
bezit en in het recht
van de sterkste!

We moeten de lange
weg gaan naar
menselijkheid onder de
mensen, de weg naar
het licht doorheen de
nacht, de lange weg
naar de liefde, totdat
de vreugde om het
leven als een kleurrijke
regenboog staat aan de
hemel van ons dorp,
dat aarde heet!

Geen
overdracht van macht
in handen van
nieuwe machthebbers!

Verandering
van macht in zich!

Macht,
die liefde wordt,

Macht, niet langer op basis van politieke, militaire, economische factoren.
Macht, niet langer een recht op overheersing voor de sterkste en de brutaalste.

Macht,
die liefde wordt.

Macht, die ruimte maakt voor de functie van het hart in de zorg voor het welzijn van de concrete mens.
Macht, die de plicht inhoudt absolute voorrang te verlenen aan de armen en de zwakken.

Macht,
die liefde wordt,

is als goddelijke macht, die de geringen verheft, de machtelozen opricht en de zwakken met kracht omgordt, die de armen overlaadt met gaven en de rijken met lege handen laat gaan.

Macht,
die liefde wordt,

groeit uit de basis en wordt gedragen door de basis. Anders is ze niet mogelijk.

Macht,
die liefde wordt!

vernietigt de wortels van het geweld tot in het hart van mens en gemeenschap.

Voor geweld moet je leren haten!

Voor geweldloosheid moet je leren liefhebben!

De geweldloze revolutie
is de enige revolutie
die beantwoordt aan de
waardigheid van de mens.

Ze is slechts mogelijk
door de massale terugkeer
van de mensen naar de
grote diepmenselijke
waarden, zoals eenvoud,
soberheid en solidariteit,
gastvrijheid en vriendschap.

Als je iemand haat
zul je hem doden
in je verbeelding
en in je woorden,
in je verwensingen
en in je daden!
Als je iemand liefhebt
zul je hem tot leven
brengen
doen groeien en tot
ontplooiing laten komen
in de warmte
van je vriendschap.

De geweldloze revolutie
begint met een vraag,
een vraag aan ieder mens.
De vraag naar de kern
van zijn wezen!
De vraag naar zijn 'mens'
zijn!
De vraag naar zijn 'hart'!

Deze revolutie
is een langzaam proces
dat begint
diep onder de oppervlakte
aan de binnenkant
van de mens.

Een rivier
begint ergens
diep in het woud.
Een storm
met geritsel
in de blaren.
Een vuur
met een vonk.
Een veld
koren met
onzichtbare
zaadjes.

Het gaat
om de binnenkant
van de mens.
Het mensworden
van de mens.

Niets gebeurt er in de wereld wat niet eerst gebeurd is in het hoofd en het hart van de mensen! Revoluties, die losbarsten en oorlogen, die uitbreken zijn reeds lang bezig onder de oppervlakte aan de binnenkant van de mens. Ze zijn als oude zweren die openbreken en de wereld met etter vullen!

Als de
binnenkant
van de mens
verandert
verandert alles,
heel de wereld!

Meer dan enig ander wezen wijzigt de mens het bestaan van de dingen en het leven op aarde.
De maatschappij kan zichzelf niet veranderen.
Alleen de mensen kunnen dat.

liefde

Het wordt voor iedereen hoe langer hoe meer duidelijk dat we slechts zullen overleven niet dank zij een perfect machtsevenwicht in de wereld, niet dank zij welvaart en comfort, of dank zij wetenschap en techniek en de wonderen van de elektronica, maar enkel en alleen dank zij dat ene zo menselijk en goddelijk gegeven:

Liefde!

In onze kunstmatig opgebouwde wereld is een fout gemaakt. Er is iets vergeten, iets fundamenteels, dat door niets anders vervangen kan worden. Er werden sociale wetten gemaakt, sociale instituten opgericht en diensten voor public-relations, maar men vergat, dat dit alles geen zin heeft, als in elke menselijke relatie, achter loketten en door papieren dossiers heen geen menselijk hart zichtbaar en voelbaar wordt. Men vergat rekening te houden met de grootste sociale en gemeenschaps-vormende kracht, die Jezus in de wereld bracht toen Hij zei: ''Bemint elkander! Houdt van elkaar! Hebt elkander lief!''

Het westen
heeft geen gebrek
aan kennis
aan deskundigheid
en vaardigheid
maar een grondig gebrek
aan liefde.

Zoals een bloem
de zon nodig heeft
om bloem te worden,

zo heeft een mens
de liefde nodig
om mens
te worden.

Liefde is het fundament van elke gezonde samenleving!

Waar ruimte gemaakt
wordt voor de functie van
het hart, staat de kleine
zwakke mens weer centraal
in het samenleven
in het samenwonen en
-werken van mensen,
centraal in het sociaal,
politiek en economisch
gebeuren.

Zeg niet:
''Het gaat alleen
om rechtvaardigheid!''
Ik antwoord je:
''Rechtvaardigheid zonder
liefde is een utopie!
Liefde zonder
rechtvaardigheid is een
leugen!''

Liefde moet de norm zijn!

Alles is tevergeefs
als het hart niet
functioneert.
Meer dan aan een
comfortabel huis,
een welgevulde tafel
en een goede gezondheid
heeft de mens nood
aan liefde.
Want alleen in liefde
kan hij 'mens' worden
en voelt ook
de kleinse mens
zich veilig en geborgen.

Het gaat
om
liefde!

Liefde
zo'n klein
woord
om alles
te zeggen!

CULTU
HART

Cultuur en beschaving
worden niet bepaald
door het aantal
universiteiten of door het
bruto nationaal produkt!

Cultuur en beschaving
worden bepaald
door de geestelijke en
morele ontwikkeling
van de mens,
door de eerbied
voor de natuur
en voor alles wat leeft,
door de gastvrijheid
van hart en huis
en door de geest
van solidariteit
waarmee de mens
zich verbonden weet
met zijn medemensen.

UR

De cultuur van het hart
is de meest dringende opdracht
voor de geestelijke gezondheid
van de mens
en voor de bewoonbaarheid
van de wereld.

Cultuur
is op de eerste plaats
verzorging
van geest en hart
en verfijning van de
menselijke relaties.
Dragers van cultuur
zijn niet degenen,
die cultuurpaleizen
bouwen,
reusachtige sportcomplexen
en kostbare musea,
maar zij,
die het menselijke
probleem,
het probleem van het
menselijk samenleven en
-werken hebben opgelost.

Cultuur
heeft wezenlijk
te maken
met vermenselijking
van mens
en maatschappij.

moeten weer

Het grootste probleem
van deze tijd
is een zuiver menselijk
probleem,
een probleem van het
menselijk hart.

In ons dorp,
dat 'aarde' heet
heeft alles te maken
met het 'hart'
van de mensen!

Wat leeft in het hart
van de mensen
manifesteert zich
op alle terreinen van het
maatschappelijk leven.

Mensen hebben te lang
gemeend dat een nieuwe
maatschappij het werk is
van ministers en politici,
van technocraten en
generaals.

Het zijn de mensen zelf
die elkaar en de wereld
moeten beter maken.

Als de staat voor alles
moet zorgen en voor alles
verantwoordelijk is zullen
de mensen tenslotte voor
niets meer zorgen en voor
niets meer verantwoordelijk
zijn!

Mensen in liefde mens worden voor elkaar !

Het mensworden voor
elkaar om te groeien
tot gemeenschap is een
cultureel proces dat
zich moet voltrekken in
het hart van ieder
mens.

Het begint in de liefde van twee mensen,
die een nieuwe mens geroepen hebben
en laten geboren worden
in de warme geborgenheid van een veilige thuis.

Het vindt zijn voltooiing in de aanvaarding,
de erkenning en de bevestiging
van mensen door mensen
in het gewone dagelijkse leven.

Je naam heb ik niet gevraagd.
Ik kreeg de indruk, dat je hem toch niet zou zeggen.
Het was in elk geval een afschuwelijke telefoon,
die me pijn deed.

Je begon met een krop in de keel.
Je had wellicht lang gewacht,
misschien te lang om het nummer te draaien.
Ik herinner me.
Met brokken en stoten heb je het volgende gezegd:
Mijn moeder heeft me altijd gehaat, altijd gehaat!
Het leven voor mij is onhoudbaar!
Ik ben sinds lang vermoord!
Had ze mij maar geaborteerd! Ik ben voor abortus!
Ik ben bereid publiek zelfmoord te plegen
om abortus er door te krijgen!
Daartussenin voerden we een langzaam, maar lang gesprek.
Ik had een oneindig meedogen met je,
met je onmacht om te leven,
je onmacht om een beetje gelukkig te zijn.
Ik hoorde in je stem,
de schreeuw van elk kind, dat ter wereld komt,
de schreeuw om een vader en een moeder,
een paar armen om in te vluchten,
de schreeuw om menselijke warmte,
om geborgenheid, om een thuis op aarde,
om liefde, goedheid, vriendschap, liefde!
Je hebt alles moeten missen.
Je hebt altijd in de kou gestaan
en je bent ijskoud geworden.
Ik begrijp je opstandigheid, je roep om abortus.
Dan hoefde je nu geen zelfmoord te plegen.
Het leven is een voortdurende onduldbare pijn voor je.
Het ergste wat bestaat!
Ik voelde je als een troosteloos hoopje miserie
aan de andere kant van de lijn, ergens ver weg
onvindbaar ver, verborgen in de grootstad.

Je was een levend protest
tegen de liefdeloosheid in deze wereld!

Mensen zijn
niet zomaar blindweg
op onze planeet geworpen.

**Mensen zijn aan mensen
toevertrouwd.**

Mensen zijn aan mensen
in handen gegeven.
Mensen zijn
zwaar verantwoordelijk
voor mensen.

Het meest elementaire,
het meest fundamentele
recht is
recht op liefde,
recht op iemand,
die van je houdt.
Ieder mens, die ter wereld
komt, heeft een
onvervreemdbaar recht op
een vader en een moeder.

Dat wil zeggen:
Recht op een thuis
op aarde.
Recht op liefde,
op menselijke warmte.
Recht op geborgenheid.
Het menswordingsproces
begint in de moederschoot.

**Alleen in liefde
kun je mens worden.
Alleen in de veilige
geborgenheid van mensen,
die van je houden,
kun je tot menselijke
ontplooiing komen.**

*Als een vogel uit het
nest wordt gestoten,
sterft hij.
Als een kind
geen liefde,
geen geborgenheid
vindt in de armen en
het hart van mensen,
gaat het de woestijn in.*

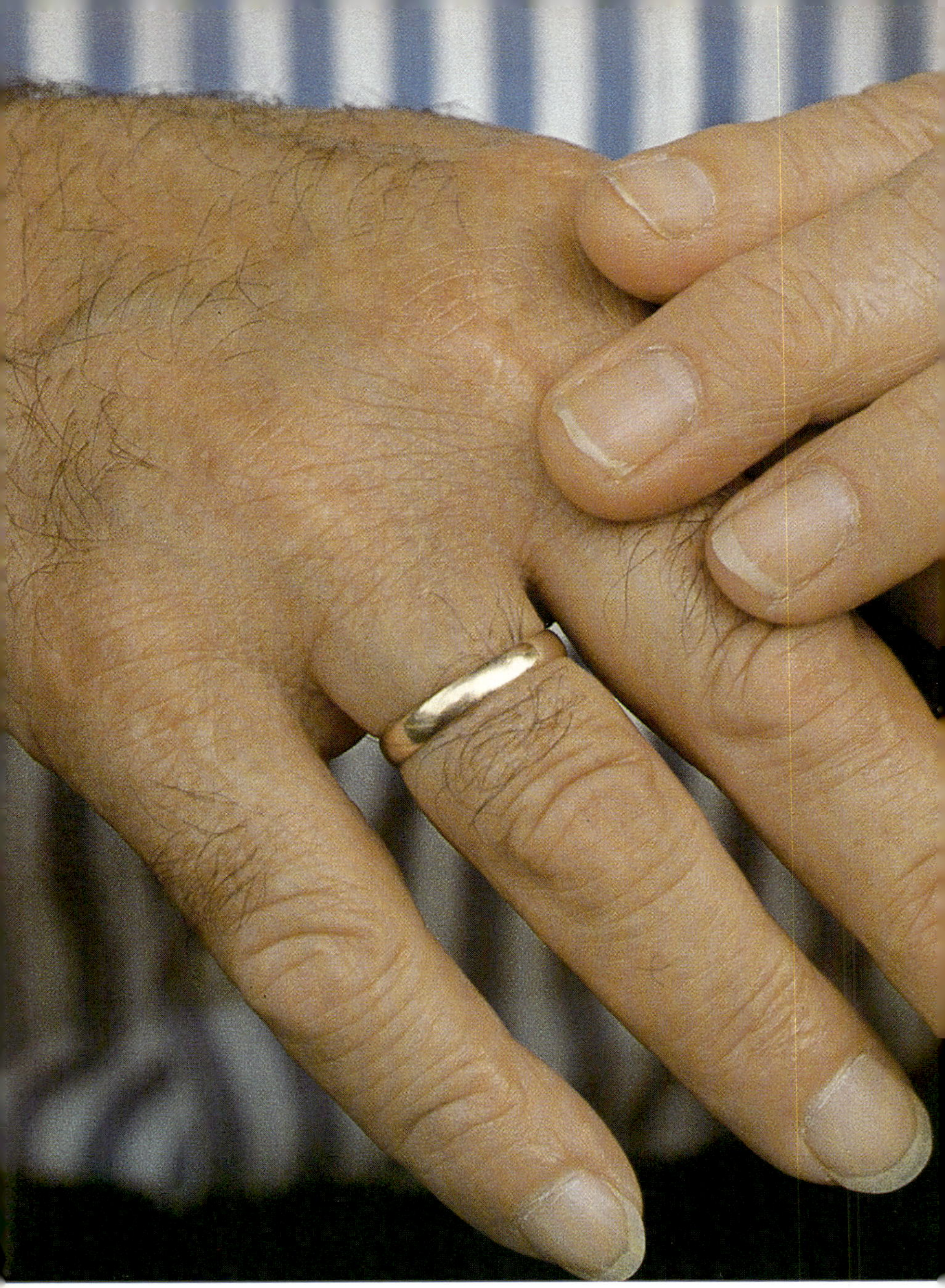

De cultuur van
de basiscultuur van

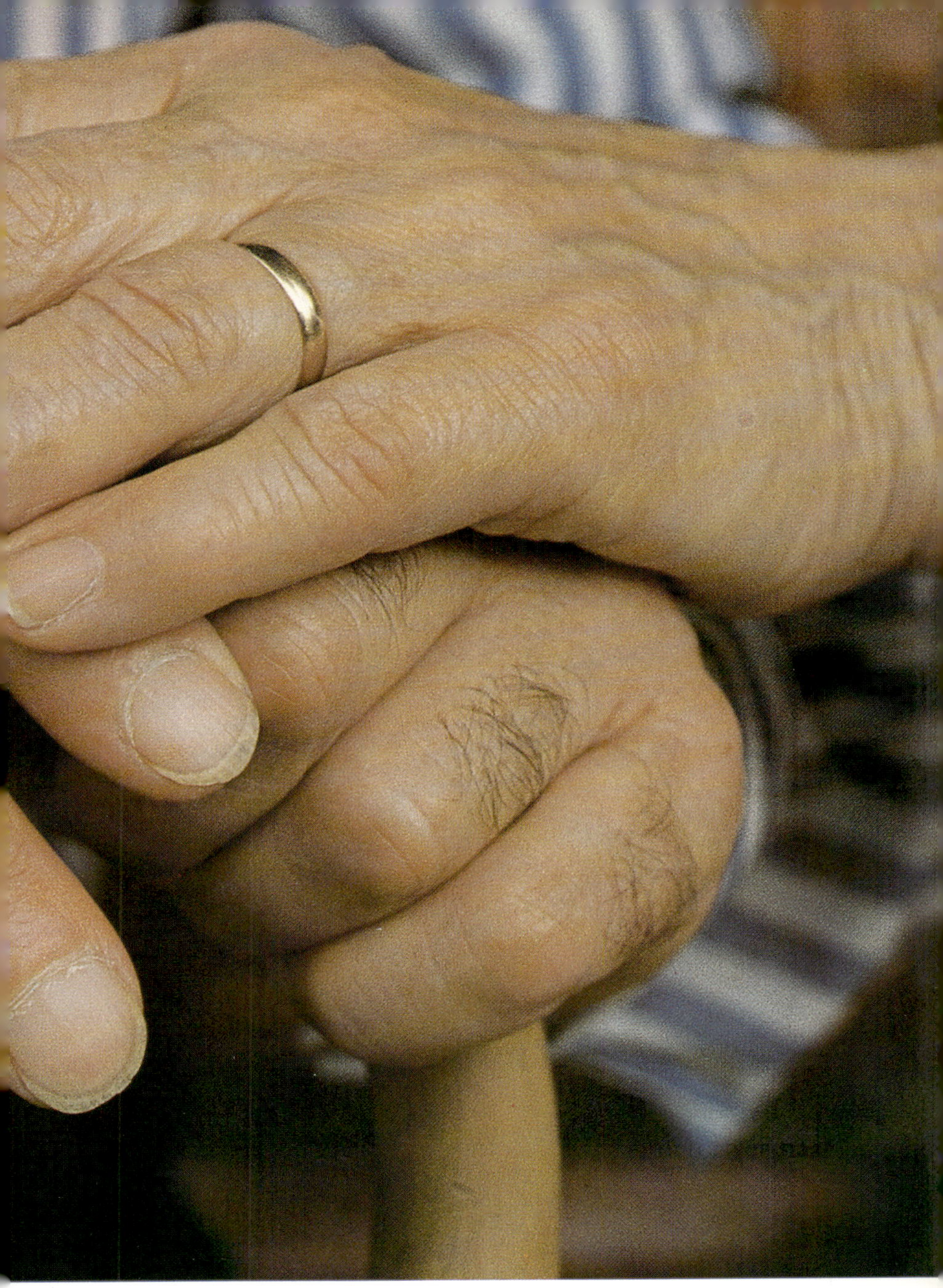

het hart,
de mens!

Mensen hebben
de warmte van een
grote liefde nodig
om mens
te worden.

Liefde is het kleed dat alle mensen willen dragen.

Wat het meest gebruikt wordt, verschijnt ook het meest in namaakvorm op de markt. De imitatie van de liefde is sterk in de mode. In moties en manifesten, op congressen en volksvergaderingen heeft men het met een stortvloed van woorden over kameraadschap en wereld-solidariteit en men gaat naar de kust met z'n hond terwijl men het erg vindt, dat die oude buurman nooit eens wegkan!

Stel je nooit tevreden met
een filosofische liefde,
die houdt van 'de' mensen
en de mond vol heeft over
'het algemeen welzijn'.

Dit zijn abstracties.
'Het algemeen welzijn'
heeft nooit pijn en 'de'
mensen kom je nooit
tegen.

liefde

Als je het woord 'liefde' gebruikt
zoals in de sexfilms
mag je het op alle muren schrijven.
Als je het in zijn juiste betekenis neemt
ben je voor de grote wereld
een romanticus en een naïeveling,
te idioot,
om ernstig genomen te worden!

Liefde

bezit je
als het lijden van anderen
je pijn doet,
als je de honger van
miljoenen gaat voelen in je
eigen lichaam, als de
eenzaamheid en de angst,
de nood en de wanhoop
van kleinen en zwakken je
eigen hart verscheuren.

Liefde

is niet zwak.
Liefde is niet blind.
Liefde is geen negatieve
houding van geen kwaad
doen. Geen passieve
verdraagzaamheid. Geen
bestuderen van de ander
om te zien of hij wel liefde
waard is. Het is een
beminnen zonder meer van
concrete mensen en dat
elke dag, ofschoon de
dagelijkse omgang soms
moordend kan zijn voor
het wederzijds respect.

Mensen beminnen, omdat
ze zo 'beminnenswaardig'
zijn, loopt tenslotte uit op
een fiasco! Mensen zijn
niet altijd zo beminnelijk
dat je er als vanzelf gaat
van houden. Vijanden
vergeven en liefhebben,
het kwade met goed
vergelden is bovenmenselijk,
als er niet een hogere reden
is, een diepere motivatie,
een zuiver geestelijke
motivatie!

Liefde
**is geen luxe-artikel
voor goedhartige mensen
en zachte karakters.**

Liefde is niet als zomersproeten die de een krijgt en de ander niet, zonder er moeite voor te doen.

Liefde veronderstelt dingen die niet meer in de mode zijn.
Eenvoud en onthechting, gastrijvrijheid en vriendschap, goedheid en trouw.

Liefde

*warmte geven
maar niemand
verbranden*

*vuur zijn
maar niemand
verteren.*

Liefde
mag niet verward worden
met sentimentaliteit,
met goede werken doen
en aalmoezen geven.

Liefde
heeft weinig te maken
met de solidariteit binnen
machtige organisaties en
politieke partijen, waar
men alleen zichzelf en
elkaar helpt en beschermt.

Liefde
is geen verpakt groeps-
egoïsme, dat binnen een
gemeenschap de grootste
spanningen verwekt
en armen, zwakken en
alleenstaanden de adem
afsnijdt.

Liefde is
mensen beminnen,
niet de systemen,
de partijen, de structuren!
Mensen beminnen,
niet de abstracte,
onzichtbare mensheid,
maar de concrete mens
vlak naast je, en de mens,
die langs het T.V.-scherm
je huiskamer binnenkomt,
omdat hij honger heeft,
omdat hij door rampen
geteisterd wordt,
omdat hij verdrukt,
uitgebuit en geslagen wordt.

Liefde is hart hebben voor elkaar.

Liefde gaat veel verder
dan het delen van rijkdom
en welvaart.

In de economie van de
liefde moet men meer
geven dan men bezit!
Men moet zichzelf geven!

Een kwestie van
verantwoordelijkheid
en daad.

Liefde
is het grote waagstuk
van het menselijk hart!
De cultuur van het hart
brengt je niets op
maar ze verandert alles,
je denken en je doen,
je voelen en je spreken.
Heel je leven.

liefde

Geen uitvinding van mensen!
Het is een uitvinding van God!

Ik heb het 'licht' gevonden
niet toen ik ging studeren
en alles wetenschappelijk ging ontleden.

Het licht is een gave
zoals de zon een gave is.

Toen ik armer werd,
toen ik zwakker werd,
en machtelozer
werd alles eenvoudiger.
Ik zette de ramen van mijn hart open
en ik ging vurig verlangen naar het licht.
En alles werd mij gegeven.

God is liefde

Een God, die Liefde is,
moet een revolutionaire
God zijn, die alle denk-
systemen te boven gaat,
elke gevestigde orde
door elkaar schudt en alle
vicieuze cirkels doorbreekt.

God is liefde.

Dit is de meest verrassende
boodschap die tot ons komt
uit dat nieuwe boek voor
deze tijd
het oude evangelie, waarin
het humanisme van God
beschreven staat.

Het is de meest menselijke
en de meest goddelijke
boodschap aller tijden.
Het tegenovergestelde van
alle gangbare ideologieën.

Het evangelie is geen leer!
Het evangelie is leven!
Het vraagt geen
professoren!
Het heeft getuigen nodig!

Ik geloof in de LIEFDE

Dit geloof heb ik niet ontvangen van een bisschop of een theoloog, maar van de twee meest fantastische mensen, die ik ooit heb ontmoet, mijn vader en mijn moeder!

Ik geloof in God
zoals een blinde gelooft
in de zon,
niet omdat hij ze ziet,
maar omdat hij ze voelt.

Ik geloof in GOD

Ik proef het mysterie
elke dag
diep in mij zelf
en in alles wat me
omringt.

Als ik een mens zie,
al is 't een gebroken
mens,
dan geloof ik
in een wezen
dat groter is dan
de mens.

Het is ongelooflijk wat in het evangelie staat,
maar als je er kunt in geloven
wordt het leven een feest!

De 2000 jaar oude boodschap van het evangelie wordt niet verstaan door geselecteerde ingewijden met uitgelezen talenten.
Evangelie is geen codetaal, die met technisch-wetenschappelijke methoden door de knapste hersenen moet gedecodeerd worden.
Evangelie wordt verstaan door mensen, die er de juiste levenshouding voor bezitten, de armen en de kinderen!
De rijken, de machtigen, de bezitters, ze begrijpen er niets van.
Daarom is het voor hen zo moeilijk om in de vreugde binnen te gaan.
De armen en de kinderen.
Zij bezitten de sleutel op deze innerlijke taal.
Zij horen God spreken.
Voor hen is evangelie geen moraal, maar goed nieuws.

Als ge niet wordt als kinderen
zult ge er niets van verstaan!

De menswording van God

De liefde van God
is zichtbaar,
tastbaar en
voelbaar geworden
in een menselijk
lichaam,
in een menselijk
hart,
in de persoon van
Jezus van Nazareth,
opdat
mensen
in liefde
weer zouden
mens worden
voor elkaar.

Jezus is de mensgeworden liefde van God.

In Hem
is het oerbeginsel van het goede geopenbaard.
In Jezus
heeft God gekozen voor de mens, heeft God de mens centraal gesteld.

In Jezus
is God gaan staan aan de kant van de armen, de zwakken, de machtelozen.

Evangelie is afstand doen van macht en bezit.

Evangelie is kiezen voor de mens.

Evangelie is partij kiezen voor armen en uitgestotenen.

Evangelie is bevrijding uit elke verslaving.

Het westen heeft het evangelie verraden, aan flarden gescheurd en met stukken en brokken opgesloten in kerken en kapellen.
Het westen heeft de boodschap van het evangelie zorgvuldig buiten de parlementen gehouden, buiten de grote politiek, waar beslist wordt over het lot van de minderheden en van de machteloze mensen.
De christenen van het westen hebben God binnen kerkmuren gevangen voor de zondagen en de feestdagen.
Ze hebben te weinig gebeden voor eigen bekering en God teveel gevraagd om de inzet van zijn macht.
Ze hebben te weinig verlangd naar de gave van zijn geest.
Zij wensten welvaart en comfort, altijd maar dingen, dooie dingen.

Jezus is niet het monopolie van de katholieken, van protestanten, van charismatische groepen of Jezusbewegingen.
Jezus komt nooit voor een groep of voor een partij.
Ieder mens is voor hem de moeite waard.
Jezus is een aanbod, een goddelijk aanbod aan alle mensen van alle rassen en talen en van alle gezindheden.
Jezus wil, dat alle mensen eenmaal de warmte zouden kennen van een liefdevolle geborgenheid.

Wie leeft in liefde, gelovige of ongelovige,
leeft bewust of onbewust
in het magnetisch veld
van een God, die liefde is!

God heeft je lief!

Overal
waar mensen
mensen liefhebben
is God werkzaam
aanwezig.

*Als de liefde
woont in het hart
van de mensen
is het mogelijk
dat mensen zinnig
over God spreken
en elkaar verstaan.*

God is aanwezig in ieder goed mens, die van je houdt, die je de moeite waard vindt, die met je meegaat en bij je blijft als de avond valt.
God kijkt je aan door de zachte ogen van ieder mens, die begrip voor je heeft. Hij is aanwezig in ieder goed woord dat een troost en een steun voor je is. Hij is in de hand op je schouder, die je moed geeft en je liefdevol terechtwijst als je donkere wegen gaat.
God is aanwezig in de mond die je met liefde kust. Het is de warmte van zijn hart die je voelt in elke omhelzing.

Ik weiger
elke levensbeschouwing,
elke ideologie en elk systeem
waar geen ruimte is
voor gehandicapten
en ongeneeslijken,
voor misbruikte,
ontwortelde en ontspoorde
medemensen,
waar de laatsten
nooit de eersten kunnen
zijn!

In elke ideologie moet de mens wijken
voor de leerstellingen!

In het evangelie
moeten de leerstellingen wijken
voor de mens!

Voor wie gelooft,
geeft het evangelie een moeilijk maar zuiver antwoord op de vraag naar de diepste zin van ons 'mens-' en 'medemens-zijn'.
Een zuiver antwoord op de vraag:
Hoe samenleven met zoveel mensen?
Hoe oorlogen en geweld doen eindigen?

Niemand kan er van buitenaf over oordelen. Men moet in het evangelie binnentreden of het blijft een koud object buiten ons, dat men kan bestuderen zonder er iets van te begrijpen.

Het evangelie van de liefde
is het evangelie
van de dwaasheid.

Het gaat over de boodschap van een liefde, die pijn doet, die door het kruis getekend is. Wie in deze liefde is binnengetreden legt zijn hoogmoed af, doet afstand van machts-posities en neemt gaarne de laatste plaats in om ten dienste te staan van allen!

Het contra-getuigenis van zoveel christenen heeft mensen in hun verwachtingen bedrogen en velen gingen het christendom vervangen door een humanisme, dat de vergeten waarden van het christendom weer naar voren schoof. Mensen zitten met een verkeerd probleem. Ze hoeven niet te kiezen tussen christendom en humanisme.

Men kan geen goed christen zijn zonder een goed humanist te zijn.

Er kan geen tegenstelling bestaan tussen een gezond humanisme en een gezond christendom. Ze liggen in het verlengde van elkaar. Waar humanisten zich afzetten tegen christenen, omdat ze gelovig zijn, is hun humanisme niet zuiver. Waar christenen zich afzetten tegen humanisten, omdat ze niet-gelovig zijn, is hun christen-zijn bekrompen.

De humanisering van mens en maatschappij is een gemeenschappelijke taak voor humanisten en christenen.

De vraag
naar een christelijke beschaving,
is de vraag
naar een menselijke beschaving.

Het is de vraag
naar het welzijn van concrete kleine mensen.
Het is de vraag
naar het hart in onze maatschappij,
naar de graad van menselijkheid
in onze politieke, sociale en economische
verhoudingen.

Het is de vraag
naar de eerbied voor het menselijk leven,
naar de eerbied voor de mens.
Het is de vraag
naar eerbied voor het leefmilieu
naar de eerbied voor de natuur.

Het is de vraag
naar het geweld in ons midden.
Waarom handen vuisten worden.
Waarom het recht van de sterkste primeert.
Het is de vraag
naar rechtvaardigheid en vrede.
Waarom miljoenen verhongeren.
Waarom kleine mensen worden uitgebuit,
verdrukt en vermoord.

De westerse maatschappij lijdt
aan een zwaar hartinfarct.
Ze moet naar de reanimatiekamer.

Het westen moet het serum van de liefde krijgen!

Als er weer een hart gaat kloppen
in het familiaal, sociaal, economisch
en politiek gebeuren,
zal de wereld een thuis worden,
waar ook de zo kleine kwetsbare mens
vrij kan ademen
en tot volle ontplooiing komen.

De functie van het hart in het familiaal milieu.

Jonge mensen, die opgroeien in weelde, maar wie nooit iets geweigerd wordt, waar vader leeft voor de zaak en moeder zorgt voor de party's en de garderobe, kunnen ondanks alle mooie theorieën alleen maar geestelijke leegheid erven.

Opvoeden
is zorgen voor de omstandigheden, de omgeving en de sfeer, waarin een mens tot ontplooiing kan komen, is het doorgeven, van generatie tot generatie, van geestelijke waarden, die het leven 'zin', 'inhoud', en 'richting' geven!

Opvoeden
is mensen leren leven met een hart, is 'eerbied' en 'liefde' leren voor medemensen, vooral voor armen en zwakken, is 'bewondering' en 'enthousiasme' wekken voor de natuur en voor alles wat leeft.

Opvoeden
is het beste doorgeven van zichzelf en in het eigen leven waarmaken wat men anderen leren wil.

Goede ouders,
gelukkige ouders
en een dorp
in de natuur
is wellicht alles
wat een kind nodig
heeft om een gelukkig
mens te worden!

De functie van het hart in scholen en universiteiten.

Er is grote nood aan vermenselijking van het onderwijsgebeuren. Scholen en universiteiten zijn mastodonten geworden van kennis en wetenschap. Scholen beschouwen elk kind teveel als een computer, die gevuld moet worden of als een wezen dat alleen maar verstand heeft. Jonge mensen ervaren een aantal leraren en professoren alleen maar als robots, die tegen betaling wat kennis en specialisatie doorgeven!

Universiteiten moeten weer lichtpunten worden, oorden van beschaving en cultuur, geen burchten van intellect en pretentie, waar gewoon werkende mensen te duur voor betalen.

Ze mogen geen technocraten, deskundigen, specialisten, geleerde mensen meer afleveren, die wel de nodige kennis bezitten, maar dikwijls de meest elementaire menselijke vorming missen.

Scholen en universiteiten moeten afgestemd worden op de vorming van heel de menselijke persoon en niet alleen op wat men noemt de 'grijze materie'.

Het verstand is niet het enig kenvermogen. Heel de mens is kenvermogen en vermogen tot liefde. Diploma's moeten veel meer zijn dan het bewijs, dat iemand op een bepaald ogenblik van zijn leven een intellectuele prestatie heeft geleverd.
Diploma's moeten spreken over de hele mens.
Kennis alleen frustreert en kan de mens dodelijk verminken!

De ontwikkeling van het gevoelsleven en van het geestelijk leven, de cultuur van het hart, zijn van kapitaal belang in de opbouw van een nieuwe maatschappij.

Wijsheid is voor het geluk van mensen en volkeren meer waard dan wetenschap.

De functie van het hart in de media.

De verantwoordelijkheid van pers, radio, televisie en publiciteit in de opbouw van een nieuwe samenleving is enorm groot. Hun invloed is vandaag bijna onbegrensd. Volgens sociologen hebben berichten over moord en zelfmoord meermalen tot moord en zelfmoord geleid. De media kunnen wegens hun informatieve taak geweld, misdaad en sex niet uitschakelen. Maar de dosering is buiten alle verhoudingen. Men krijgt dagelijks in alle mogelijke kleuren en details alles aangeboden, wat verkeerd loopt, wat rot is en schandalig in onze kleine en grote wereld.

Men gaat denken dat het leven uit niets anders bestaat en dat geweld, corruptie en misdaad gewoon en vanzelfsprekend zijn.

Mensen worden overgeleverd aan een lawine van tegenstrijdigheden en als je een maagzweer wil hoef je maar regelmatig naar het dagelijkse persoverzicht te luisteren.

Een te eenzijdige informatie is een onjuiste informatie.
Journalisten, reporters en cineasten moeten in hun berichtgeving en hun verslaggeving meer aandacht en ruimte geven aan het positieve, het goede en het schone. Zij moeten zich in de redactie en in de keuze van termen en beelden laten leiden door een diepe bezorgdheid om het welzijn van concrete mensen en de vrede en de vriendschap binnen de gemeenschap en in de wereld!

De functie van het hart in de zorg voor de mens.

Het gaat om een zeer bepaalde, zeer actieve en zeer praktische liefde voor concrete mensen in nood, zieken, gehandicapten, bejaarden.
De mens in nood heeft niets aan 'Mijnheer de deskundige hulpverlener', als deze geen andere naam heeft dan de verzamelnaam 'deskundige hulpverlener'.
Bureaucratisering en professionalisering zijn maatschappelijke processen, die in de sociale en mensverzorgende sectoren een groot gevaar opleveren voor de menselijke verhoudingen. Wanneer de zorg voor de mens bepaald gaat worden door het zakelijk brein van de overheid en van grote organisaties en instellingen, bestaat het gevaar, dat mensen aan de top, als echte managers, gaan bepalen wie mag verzorgen en wie niet en vervolgens voor wie, in welke omstandigheden, op welke wijze er gezorgd mag worden. Wanneer de reglementeringen als een dicht struikgewas het hele veld overwoekeren en mensen verloren lopen in een oerwoud van diensten en centra, betekent dit de ontmenselijking en de bureaucratische wurging van de sociale en medische zorg.

Als de zo noodzakelijke deskundigheid mensen verleidt tot een zakelijk en onpersoonlijk optreden, is het te vrezen, dat de belangen van hen, die eraan verdienen, voorgaan op de belangen van hen, die gediend moeten worden.

Er moet een 'hart' zichtbaar en voelbaar worden in alle maatschappelijke verhoudingen, door alle dossiers heen, in alle administraties, achter alle loketten, in hospitalen en rustoorden, opdat onze sociale vooruitgang een 'menselijke' vooruitgang zou zijn!

De politici moeten gaan inzien, dat het menselijk verstand, hoe ontwikkeld ook, de problemen, geschapen door het menselijk egoïsme, niet kunnen oplossen.
Er bestaat een machtig dokument:

''De universele verklaring van de rechten van de mens''

Een mooi produkt van het menselijk brein. Wat baten prachtige humanitaire beginselen, als ze in de lucht blijven hangen en nergens de aarde raken. De 'rechten van de mens' hebben nog altijd geen kracht van wet over de wereld. Er zijn geen waarborgen, geen internationale controle, geen sancties. Ze zijn voor miljoenen mensen, die leven in de zones van armoede, oorlog en geweld, niet meer dan een stuk papier.

Als er een hart gaat kloppen in de nationale en internationale verhoudingen, als er 'liefde' doorbreekt, zullen alle forums, zowel de algemene vergadering van de verenigde naties als de parlementen van de landen, niet langer arena's zijn voor het eeuwig gevecht tussen partijen en belangengroepen, waar altijd de groten de kleinen verstikken.

Dan zal men in de nationale en internationale politiek de moed hebben de grote bomen te snoeien om de kleine plantjes 'lucht', 'licht' en 'leven' te geven, dat klein beetje 'zon', dat niemand missen kan!

De functie van het hart in de politiek!

De cultuur van het hart heeft ook een politieke dimensie!

De traditionele manier van spreken en handelen in de politiek is niet in staat de crisis in het westen op te lossen. Er moet iets nieuws komen in de politiek:

Een hart!
Liefde in de politiek!

''Neen, meneer, dat is een utopie. Iets voor idioten en naïevelingen.''

Politiek is een schepping van de mens, zoals kunst en wetenschap. Politiek is een van de hoogste uitingen van de mens als cultuurscheppend wezen, omdat ze de enkeling moet helpen tot volle ontplooiing te komen in een gelukkige samenleving.

Goede politiek houdt voor alles rekening met de mens.

Bij het uitvaardigen van wetten, het oprichten van instellingen, het maken van plannen, heeft goede politiek vooral oog voor de kleinen, de zwakken, de minst-bedeelden. Er wordt goed geregeerd, waar het goed is voor armen en machtelozen.

Democratie is een huis
om in te leven
en te laten leven!
Democratie draagt zorg
voor de minderheden.
Dictatuur is een
gevangenis!

De droom van het hart

Een wereld, een land,
waar niemand gebrek lijdt,
waar mensen dagelijks lief
en leed delen, waar mensen
als noten zijn van eenzelfde
lied, elke noot met haar
eigen klank op het
onuitputtelijk thema van
menselijke vrede en
vriendschap!

Een wereld, een land,
waar alles weer kleiner
wordt op maat van de
mens, met ambachten en
kleine winkeltjes, waar
hartelijkheid het huis vult
en mensen weer menselijke
warmte vinden, waar men
lacht in de straten en
kinderen laat spelen,
waar gezonden en zieken,
validen en minder-validen,
jonge mensen en bejaarden
elkaar weer kunnen
herbergen en geborgenheid
geven!

Een wereld, een land,
waar rijken hun rijkdom
verzaken om hun hart
terug te vinden, waar
menselijke belangen
voorrang hebben op
politieke en financiële
belangen, waar ruimte is
voor het lied van de
natuur, voor een kermis en
een fanfare, een moppen-
tapper en een clown, waar
mensen gelukkig kunnen
zijn met een geluk, dat
gratis is!

Een wereld, een land,
met een
menselijk gezicht,
het gezicht
van de liefde!

hart

Er komen nieuwe tijden!
Aan de horizon staat

het teken van de hoop!

Mensen gaan weer dromen
van een toekomst
die ze zelf in handen kùnnen nemen.

Ze hebben te lang geleefd
in de schaduw van de industrie,
de produktie, de bankrekening
en de superbazar!
Ze willen weer 'mens' worden,
gewoon 'mens' worden
om te lachen en te zingen,
om lief te hebben
en gelukkig te zijn!

Dromen bevrijden de mensen!
Worden ze rijk, dan vechten ze!
Krijgen ze een droom,
dan werken ze samen!

Er groeit een nieuw bewustzijn
voor waarden,
die ons door de technisch-wetenschappelijke
vooruitgang ontnomen werden.

Mensen herleven!
Er komen nieuwe mensen, geen andere mensen,
maar 'veranderde' mensen!

Mensen, die zich verantwoordelijk voelen
voor mensen, thuis en op het werk,
in de administratie en in het verkeer,
in de politiek en in het zakenleven!
In hen leeft de hoop
op een nieuwe toekomst!

Zij maken geen revolutie!
Zij zijn de revolutie!

Er groeien oasen in de woestijn
en als er bloemen bloeien
kun je alleen maar juichen
en de woestijn vergeten!

mens

De mens is meer dan een stukje materie, meer dan een toevallige structuur van atomen en moleculen.
De mens is geest!
Zijn lichaam is een bezield lichaam.

Het mysterie 'mens'!

Een door gedachten bewogen wezen met miljoenen hersencellen allemaal onder stroom en kilometers zenuwen met miljarden seinen van het hoofd naar de handen en van de ogen naar het hart, in alle richtingen heen en weer door alle delen van het lichaam.

Alle leven op aarde kreeg een vast programma ingebouwd.
Alleen de mens mag zijn eigen levensprogramma kiezen.

De mens is een onvervangbaar en onaantastbaar meesterstuk!

Miljarden mensen op onze planeet en elke mens is uniek! Geen twee dezelfden. Gemaakt met dezelfde materialen, twee ogen, een mond, twee oren, een neus, verschillen ze toch allemaal. De Chinezen zijn voor ons allemaal dezelfden maar uit miljoenen Chinezen haalt elke Chinees zijn vader en zijn moeder, zijn broers en zijn zusters.
Innerlijk verschillen de mensen nog meer!

Een groot mysterie!

Na veel omzwervingen
op zoek naar de zin van alles wat bestaat
wist ik op zekere dag,
dat de mens het 'hart' was van het heelal,
het centrale punt van heel de kosmos!

Dat fantastische wezen
'mens'
het enige wezen
geschapen
naar het beeld van een God!

Uit alle zelfgemaakte catastrofen,
uit alle zelfgemaakte puinen,
zal de mens weer verrijzen
als een wezen met 1000 sterren
om alle nachten te verlichten.
Beschavingen kunnen verdwijnen.
Culturen kunnen vergaan.

Het ruimteschip 'Aarde'
bemand door dat kleine wondere wezen 'Mens'
zal blijven bestaan!

De schepping is nog lang niet af!
We zijn nog lang niet aan de zevende dag!

Ik geloof
in de
goedheid
van de
mensen
zoals
ik geloof
in de lente
als ik
de katjes
zie bloeien!

Ik geloof in de mensen,

De mensen,
die leven en lachen!

De mensen,
die 'ja' zeggen tegen het
opkomen van de zon,
die 'ja' zeggen tegen het
licht,
tegen de vreugde
en tegen alles,
wat groeit aan de basis
in goede en kwade dagen.

Gewone mensen
Wondere mensen!

Zij hebben geen naam,
die genoemd wordt in
kranten en journaals.
Zij zijn oneindig
verdraagzaam.
Zij hebben genoeg
verstand, om wat dagelijks
over hun hoofd wordt
uitgeschud vierkant aan
hun laarzen te lappen.

Maar zij zullen in opstand
komen als iemand hen uit
hun bedding wil lichten.

mens

de gewone mensen!

Gewone mensen
Wondere mensen!

Mensen, waardoor een stroom van liefde in stilte over de de wereld gaat. Zij zijn de oasen in onze woestijn! Zij zijn de sterren in onze nacht!

Gewone mensen!
De enige longen
waarlangs onze wereld
nog ademen kan!

en

Een goed mens
is als een klein licht
dat wandelt
door de nacht
van onze beschaving
en op zijn weg
gedoofde sterren
weer aansteekt!

Het goede dat mensen in vriendschap en liefde aan mensen doen ligt helemaal buiten de grote wereld van de competitie en de efficiëntie!

Het kan niet gemeten worden, niet in statistieken vastgelegd.

Het is als een onzichtbare dieperliggende warme golfstroom, die je voelt gaan langs de kusten van een wereld, waar het te lang gevroren heeft tussen mensen!

Ik heb vertrouwen
in de jeugd
en in alles wat jong is
al groeit het
op een oude stam!

Het is moedgevend te zien hoe jonge mensen enthousiast, durvend en soms vermetel nieuwe wegen gaan.
Ze lijden onder het onbegrip en de duizend waarschuwingen, dikwijls van eigen ouders, die menen dat men alleen met een portefeuille door het leven komt.
Nu alles gemaakt is vanaf de betonnen grootsteden, de snelle autobanen tot de elektronische waterkraan zal de opkomende generatie weer een hart steken in deze wereld.

Ik zie mensen aanschuiven aan de horizon, mensen uit alle klassen en standen en van alle gezindten.

Zij staan op!
Met het licht in hun hart zullen ze de anderen verlichten.
Met de kracht van hun woord en gebaar zullen ze mensen verdedigen tegen mensen en structuren.
Met de zachtheid van hun hand zullen ze mensen thuisbrengen in hun eigen oase.

Mensen
wijzen mensen naar het licht
naar een nieuwe levensstijl.

Mensen, die zich bevrijd weten
van hebzucht en haat!

Mensen, die niet langer geloven
in de loop van het geweer!

Mensen, die met weinig tevreden zijn
en tijd hebben voor dingen,
die geen geld opbrengen!

Mensen, die geen paleis nodig hebben
om als prinsen te leven
en geen dikke portefeuille
om samen te feesten.

Mensen, die bloemen zien,
die vogels horen fluiten,
die kunnen spelen als een kind
en in een zetel in slaap vallen.

Lieve mensen met veel licht
in huizen en straten
in dorpen en steden!

Anders gaan leven!

Enthousiast zijn over het leven
over elk leven
ook over het leven dat moeite kost!

Gezonder gaan leven!

Los van de dooie dure dingen, die je niet nodig hebt, die dienen voor je 'status' en je geestelijk frustreren. Terug naar je zelf, naar je eigen levensritme, je natuurlijk levensritme. Je gaat het absurd vinden tot diep in de nacht je ogen te bederven met kunstlicht in enge clublokalen vol rook bij het oorverdovend lawaai van de juke-box en te slapen als de zon schijnt.

Gezonder leven!

De gratuïteit van je eigen bestaan van je gezondheid en je talenten zal je inspireren tot gratis dienst verlenen. Alles hoeft niet meer bezoldigd te worden, bezoedeld met geld. Als het werk, dat je doet je alleen maar geld opbrengt en geen vreugde, ben je doodarm! De vriendelijkheid en de gastvrijheid zullen weer de woningen van de mensen vullen!

Handenarbeid een zegen voor lichaam en geest?

Handenarbeid is een zegen
voor ieder mens.
De handen leiden de mens
buiten zichzelf naar de
natuur en de mensen toe.
Handenarbeid reinigt
de hersenen en zuivert
het hart.
De beste therapie
voor deze tijd!
Arbeid moet weer
een vreugde zijn!

De droefheid van de oude monnik.

*Vijftig jaar lang maakte
hij met zijn handen
zoveel schoenen met
zoveel plezier.
Hij kende de voeten
van alle monniken in
het land en hij zong
de hele dag.
Na een laatste bewogen
kapittel moesten plots
alle schoenen betaald
worden. Hij moest de
kosten berekenen
schoen per schoen
en alle uren tellen
dat hij bezig was!
Toen hield zijn vreugde
op!
De monnik zong niet
meer!*

Vriendschap sluiten met de natuur

Lieve natuur,
blijf ons, mensen,
nabij!

Gij zijt het brood,
dat we eten!
Gij zijt ons bloed!
Gij zijt het huis,
waarin we wonen!
Gij zijt onze huid!
Gij zijt de longen,
waarlangs we ademen!

Lieve natuur,
blijf ons nabij!

Gij zijt het paradijs,
waarin we met de
bloemen en de vogels
juichen om het leven!

De appelboom en de pereboom.

Luister eens
naar de bloemen
als ze met de bijtjes praten.
''Arme dwaze mensen''
hoor je ze fluisteren
''Ze zijn ziek!
Ze lopen naar exposities
en ons zien ze niet!
De grootste wonderen zien
ze niet!''

Ik dacht, dat ik ze kende
tot ik op een dag het
wonder zag!
Ze stonden met hun voeten
in dezelfde grond, met hun
hoofd in dezelfde lucht, in
dezelfde zon en in dezelfde
regen.
En de appelboom maakte
appels en de pereboom,
tien meter verder, maakte
peren!
Heel normaal, zeiden de
mensen.
Maar ik kon mijn ogen niet
geloven.
Met hetzelfde, wat ze
haalden uit dezelfde grond,
uit dezelfde lucht, dezelfde
zon en dezelfde regen,
maakte de ene boom peren
en de andere iets verder
appels. En die zijn zo
verschillend van vorm, van
kleur, van geur, van smaak.
Zo'n wonder had ik nog
nooit gezien!

Praat eens met een boom. Bomen zijn vrienden van mensen. Zonder bomen is het land kaal, is er niemand, die de wind kan houden en die vecht tegen elke storm. Praten met de bomen en pijn hebben als de bomen vallen, omdat er beton moet komen.

Bomen zijn vrienden van mensen. Ze geven hun vruchten zonder te vragen wie ze opeet!

Praat eens op een
menselijke manier met een
boom.
Wees vooral vriendelijk.
Kom niet af met een zaag
of een bijl.
Vlei hem om
zijn mooie bladeren,
zijn grote bladeren,
zijn kleine bladeren,
zijn zachte bladeren,
zijn prachtig kleed.
Zeg hem, dat hij sterk is in
zijn stam en dat in zijn
takken de zon kan spelen.

Kijk dan eens rustig naar
hem op en luister.
Je zult hem horen.
Misschien voor de eerste
keer zul je hem horen.

Wie met een boom kan praten hoeft niet naar de psychiater al denken de meeste mensen het tegenovergestelde.

De grote
happening van de
twintigste eeuw zal
zich voltrekken

als de mens
komt tot het grote besef

dat hijzelf
een fantastisch wonder
is en dat er voor
ieder mens
een liefde geschreven
staat in de zon
de maan en de sterren
en
in heel de natuur!

De essentiële dingen van leven

De schoot
van je moeder
en een moeder,
die zingt.
De zon en de
vriendschap.
Een plaats aan tafel en
een hartelijke
omhelzing.

Het licht van de lente.
Het lachen van een
kind.
Het lied van een vogel.
Het kabbelen van de
beek.
Het sap in de bomen.
Het golven van de zee.
De dag en de nacht.
De rust en de stilte.
De zevende dag.
Het leven en het
sterven.
Het mens-zijn op aarde.

Over dingen,
die gratis zijn
mag je alleen met liefde
beschikken!

het leven zijn gratis!

Ze zijn je zomaar gegeven!

Een mysterie van liefde
is ingebouwd
in de natuur!

Ik vind het fantastisch!
Het kloppen van mijn hart,
103.000 keren per dag,
zomaar, gratis.
Het is niet te geloven.
Ik mag elke dag
20.000 maal ademen
en voor de 137 kubieke
meter lucht, die ik daar
voor nodig heb, wordt me
nooit een rekening
aangeboden.

Een fantastische liefde!
Ik vroeg me eens af
hoeveel vlieguren het waren
van hoeveel bijtjes dat
klein lepeltje goudgele
honing bij mijn ontbijt!
En wie had de bloemen
doen bloeien? En wie had
de zon doen schijnen, want
als het regent vliegen ze
niet? Dat alles voor dat
klein lepeltje goudgele
honing bij mijn ontbijt!

Een ongelooflijke liefde!
Die heerlijke appel
waar een appelboom een
heel seizoen heeft aan
gewerkt.

Voor elk
stuk brood
dat ik eet,
heeft iemand
een graankorrel
in de aarde gelegd.
Een wezen
groter dan de mens
heeft in de graankorrel
de weelde geborgen
van het bloeiende
koren.

Ik hou van
de graankorrel
die in de warme
omhelzing
van moeder aarde
openkomt
om schuren vol graan
te geven
voor het brood
van de mensen.

Ik hou van het brood,
dat de bakker
met liefde bakt.
Ik hou van de bakker,
die met zachte handen
het brood heeft
gezegend.

Het brood
is een gave
van aarde en hemel
door God aan mensen
en door mensen
aan mensen gegeven.

De industriële bakkerij
is een gevaar
voor het brood
en voor de liefde
onder de mensen.

Ik ben bang dat je dit
niet begrijpt!

Er is iemand
die oneindig veel van me houdt.

Ik voel me bemind
tot in de toppen van mijn tenen.
Danken wil ik.
Ik stroom vol dankbaarheid.
Maar zeg mij
wie ik danken moet?

Geen president of generaal
geen professor of geen technocraat!
Een God wil ik danken!

Een lieve God wil ik danken!

Met duizend handen streelt hij mij!
Met duizend monden kust hij mij!
Met duizend vruchten voedt hij mij!
Op duizend vleugels draagt hij mij!

Hij is mijn God!
Ik ben kind aan huis bij Hem!

God is Liefde!
Gods wil is liefde!
Wetten van God
zijn wetten van liefde!

God
heeft mensen gemaakt
voor de vreugde
om te genieten
van het leven!

Wandelen in de vrije natuur. Werken met je handen. Eten als je honger hebt. Slapen als je moe bent. Fietsen en tuinieren. Praten met de bomen en de pieren. Fluiten voor de vogels en op een bombardon spelen voor de vissen. Je krijgt nieuwe ogen voor het wonder om je heen. Je zult minder verbruiken maar meer en bewuster genieten. Je proeft de weelde van vers gebakken brood. Een glas helder water kan een feest zijn!

Genieten is een zegen! Met weinig tevreden zijn en veel genieten is de kunst en het geluk van de echt vrije mensen!

gelukk
mensen

Gelukkige mensen zijn nooit gevaarlijke mensen!

ige

Gelukkige mensen,
die vrij van verslaving
dankbaar voor elke
gave zijn!

Gelukkige mensen,
die weinig nodig
hebben om gelukkig te
zijn, die een paradijs
vinden in hun eigen
hart, waar heel de
wereld welkom is!

Gelukkige mensen,
die beminnelijk blijven
voor elkaar,
die elkaar de ruimte
geven, om anders te
zijn, om zichzelf te
zijn, ruimte voor een
eigen levensritme!

Gelukkige mensen,
die ver voorbij het
lichaam, bevrijd van
angsten en begeerten,
aan de uiterste kusten
van het leven,
elkaar de vreugdevolle
geborgenheid bieden
van een onsterfelijke
liefde!

Nonkel had
maar een klein stukje van
de wereld gezien.
Hij had maar één vrouw en
maar één huis. Hij had alle
dagen met zijn handen
gewerkt en alle mensen
waren altijd welkom
geweest aan zijn tafel en in
zijn hart. Toen hij 80 jaar
werd was hij nog zo
levenslustig en even
enthousiast als iemand
van 20!

Hij deed me geloven
in het eeuwig leven!
Ik dacht:
''Als alle mensen met zo
weinig tevreden waren was
er voor iedereen genoeg!''

De armen zijn dikwijls rijker dan de rijken.
Ze kennen nog de weelde van de gastvrijheid, die de rijken verloren hebben.
Ze hebben de lach en de levenslust, die de rijken niet meer kennen.
Ze zijn gelukkiger met een schaap dan de rijke met een jaguar.
Ze juichen om een vis en een paar eieren en genieten meer van een handvol rijst, wat maniok en een kan thee, dan de onverzadigbare rijke die bij alle overvolle tafels een zak vol pillen nodig heeft.

De schatrijke meneer in zijn laatste nieuwe Rolls Royce en ronddolend in zijn droomvilla met vasttapijt en airconditioning met vergulde W.C. en verlicht zwembad, aanwezig op alle recepties en party's, is veel armer dan de arme Alex in zijn klein huis, die zelf zijn brood bakt maar daar zoveel deugd aan beleeft, dat hij de ganse dag fluit als een vrije vogel. Van deze levensvreugde heeft de rijke geen weet.

Bij de arme gaat de mens voor!
Bij de rijke gaan de dingen voor!

Een beetje liefde
kan als een druppel water zijn
die een bloem de kracht geeft
zich weer op te richten!

Een beetje liefde
kan een mens genezen!

Een mens genezen
is hem helpen
de verloren moed terug te vinden

Meer dan door je mond
zal de liefde spreken
door de zachtheid van je handen,
de tederheid van je gelaat
en de aandacht van je hart!

Als bomen en planten op
een morgen de zon voelen
beginnen ze te leven!
Als mensen op een morgen
het hart van een medemens
voelen, komen ze tot
leven!

Wonderen gebeuren bij dageraad!

Mensen staan op en
geloven in een nieuwe dag!
Mensen zien de zon
opgaan, voelen de warmte
van haar stralen en geloven
weer in het licht!

Wonderen gebeuren bij dageraad!

Mensen staan op en
geloven weer in mensen.
Ze dromen van een huis,
een groot en warm huis,
als een haven voor allen.
Mensen komen en gaan,
breken het brood van de
vriendschap en vinden het
licht voor een nieuwe dag!

*Onder je huid zit
ergens een engel te
wachten met een
boodschap van
goedheid en liefde voor
mensen op aarde.
Laat hem aan het
woord in je daden.*

De zon komt op in ieder goed

mens die over de wereld gaat.

Gelovigen en ongelovigen,
onkerkelijken, vrijzinnigen, humanisten,
mensen van links en mensen van rechts,
we wonen in hetzelfde dorp,
dat 'aarde' heet.
We zijn aan elkaar toevertrouwd
om in vriendschap samen te leven.
We horen bij elkaar.
We gaan samen de lange weg,
de weg naar het licht,
de weg, die door vele nachten gaat,
de harde weg, die voert door de woestijn
van menselijke dorheid,
over bergen van hebzucht,
wantrouwen en geweld,
naar een nieuwe lente over de wereld!

We maken ons geen illusie.
We verwachten geen wonderen.
We gaan samen de lange weg!

De nieuwe wereld!
Een onmogelijke onderneming!

Afgewerkte stukken
passen in elkaar.
Stukken die niet af zijn
passen nooit.
Bouw een huis met
stukken, die niet af
zijn.
Het stort in elkaar.

Hoe een nieuwe wereld
maken met mensen,
die niet af zijn en nooit
passen in elkaar?
Mensen hebben
gebreken!
Mensen maken fouten!
Mensen maken ruzie!
Er zijn botsingen en
wrijvingen!

Liefde maakt
het onmogelijke
mogelijk!
Liefde,
alleen liefde
laat mensen,
die niet af zijn,
naar elkaar groeien
en gemeenschap
vormen!
Alleen in liefde
kunnen mensen
het uithouden
bij elkaar!

Mensenkind!

Kind van het licht!
Ieder mens is geroepen!
Je moet gaan en niet moedeloos worden.
Blijven gaan, ook als men je uitlacht.
Je mag niet uit zijn op succes,
hoe groot je inzet ook is.
Weet, dat de zaaitijd nooit samen valt
met de oogsttijd.
Je moet een brede rug hebben,
waarover onbegrip, smaad en belediging,
als over een bergrug naar beneden stromen,
zonder de berg te schaden.
Je moet klappen en schoppen inkasseren
zonder terug te slaan.
Je zult steeds aan de kant staan
van zwakken en machtelozen.
Je zult meewerken aan acties voor beter leefmilieu
en aan alle initiatieven
voor vermenselijking van mens en maatschappij!
Je zult je verantwoordelijkheid opnemen.
Je zult duizend en een dingen doen
om het leven weer leefbaar te maken!
Ieder mens is geroepen!

Mensenkind!
Kind van het licht!

Als je moegelopen bent
naar de sterren
om voor mensen in de
nacht wat licht te
zoeken, zet je dan neer
in de stilte en luister
naar de bron!

Als je diep genoeg
doordringt tot de kern
van de dingen krijg je
ogen om onzichtbare
dingen te zien en oren
om onhoorbare dingen
te horen!

Ik wens je de vruchten van de geest:

Liefde
Vrede
Geduld
Trouw
Vreugde
Vriendelijkheid
Goedheid

Dit zijn de zachte krachten
van een nieuwe samenleving.
Waar ze aanwezig zijn
wordt de wet overbodig.
Wetten, voorschriften en sancties zijn nodig
waar men van elkaar niet houdt.

Als ik de vruchten van de geest
zie rijpen
in de harten van de mensen
geloof ik
in het komen
van een nieuwe aarde
en een nieuwe hemel!

De ontdekking van het geestelijk leven
opent voor de mens
de wegen naar een ongekende wereld
waar de echte fundamenten liggen
voor een nieuwe maatschappij!

Niemand ziet
het! Niemand hoort
het! Maar stilaan gaat
iedereen het voelen!
Er waait een nieuwe
geest over de wereld!
Een geest van
solidariteit!
Een geest van liefde!
De geest van God!
Niemand kan hem
tegenhouden.
Hij dringt door deuren
en vensters, haalt alle
muren omver en
verandert de mensen
en de dingen.
Alles wordt nieuw!
Mensen zoeken
dezelfde golflengte.
Ze zoeken dezelfde
bedding.

Mensen schuiven aan!
Ze komen van overal,
uit alle klasse en
standen en van alle
gezindten!
Mensen uit alle
beroepen en van alle
leeftijden!
Niemand heeft hen
geroepen!
Ze riepen elkaar!
Mensen vinden weer
menselijke warmte,
een haven,
een tafel en een dak,
wat brood en wat wijn,
een thuis met een lied
in de avond,
een grote familie!
Alles wordt nieuw!
Geen linksen meer!
Geen rechtsen meer!
Geen averechtsen
meer!

Mensen
zijn mens
geworden
voor elkaar!

Je vreugde zal zijn
als de vreugde van een boom,
die duizend bloemen
en duizend vruchten geeft
zonder ooit om dank te vragen,
maar
als mensen op hun eenzame levensweg
jubelen
om de zon in zijn takken
en dronken van het sap
duizendmaal 'dank je' zeggen,
kijkt hij naar zijn wortels
in de goede grond
van een eeuwenoude blijde boodschap.

Mensenkind
kind van het licht
kind van de zon
kind van de liefde
kind van God
op een morgen
zul je langs de weg
een engel ontmoeten.
Hij zal je een wit steentje geven
waarop een nieuwe naam gegrift,
je eigen nieuwe naam
zoals hij geschreven staat
in de palm van Gods hand.

Je zult juichen.

Waar mensen
in liefde
weer mens worden
voor elkaar
groeit
de hemel
over de aarde!

Waar lees ik wat...

Het gaat om de binnenkant van de mens. Het mensworden van de mens. 98-143

De cultuur van het hart - mensen moeten in liefde weer mens worden voor elkaar - mensen aan mensen toevertrouwd - liefde - God is liefde - de menswording van de liefde - christenen en humanisten - de functie van het hart in alle sectoren van het maatschappelijk leven -

Er komen nieuwe tijden.
Aan de horizon staat
het teken van de hoop. 144-185

Het mysterie 'mens' - ik geloof in de mensen - andere levensstijl - vriendschap sluiten met de natuur - de grote happening van de twintigste eeuw - een liefde ingebouwd in de natuur - gelukkige mensen zijn nooit gevaarlijke mensen - mensenkind, kind van het licht -